Ope

BUR

Opere di Oriana Fallaci

pubblicate

LETTERA A UN BAMBINO MAI NATO

NIENTE E COSÌ SIA

PENELOPE ALLA GUERRA

UN UOMO

SE IL SOLE MUORE

INSCIALLAH

da pubblicare

INTERVISTA CON LA STORIA

ORIANA FALLACI

PENELOPE ALLA GUERRA

introduzione di MICHELE PRISCO

ISBN 88-17-15013-4

prima edizione BUR Opere di Oriana Fallaci: giugno 1998
terza edizione BUR Opere di Oriana Fallaci: febbraio 2001

INTRODUZIONE

Di Oriana Fallaci, il lettore ha ormai da tempo acquisito il concetto d'una giornalista dotata di profonda passione civile e geloso rispetto della dignità della persona umana, e certamente fra le più attente e indomite e vivaci di fronte agli avvenimenti internazionali come ai fatti del costume: non soltanto a leggere i suoi articoli o le sue interviste, ma anche a ricordare i libri nati dall'esperienza giornalistica: *Il sesso inutile* o *Se il sole muore*, *Niente e così sia* o *Intervista con la storia*, tanto per citare qui i più noti.

Certo, se un giorno vorremo capire più in profondità qualcosa della società di questo nostro tempo, attraverso quelli che dal costume alla politica e dalla cronaca alla storia ne sono stati più o meno i consapevoli protagonisti, dovremo fare innanzi tutto i conti con i libri in cui la Fallaci ha raccolto le sue « interviste », apparse sempre inizialmente su settimanali, ma organicamente concepite ogni volta in funzione del volume e sempre scritte con una straordinaria indipendenza di giudizio.

Sul genere « intervista » si potrebbe avviare un lungo discorso. Certi nostri rotocalchi ne fanno il loro punto di forza, ed a ragione. Tuttavia si ha molto spesso l'impressione, a non dire il sospetto, che a questo particola-

I

re tipo d'inchiesta o di servizio giornalistico presieda ormai un altro particolare rituale di convenzioni e regole così rigidamente fissate e applicate che finiscono col renderle se non anonime quasi intercambiabili. Se ci si fa caso, l'attore (nome comune di genere maschile che abbraccia anche la donna), il medico alla moda, l'industriale del momento, il politico sulla cresta dell'onda, quando vengono intervistati e si abbandonano a raccontare l'infanzia dura e triste o la scalata al successo o le reazioni alla raggiunta ricchezza eccetera, rispondono tutti più o meno allo stesso modo, con certi identici stilemi, e insomma non solo provocano la sensazione d'essere docilmente manovrati dall'intervistatore a dare sempre certe determinate risposte in un determinato modo ma, peggio, sembrano esprimersi con la tecnica e lo stile che userebbe proprio l'intervistatore se fosse lui l'intervistato.

Con i pezzi di Oriana Fallaci tutto ciò non avviene, per fortuna, e forse proprio questo è uno dei segreti primari delle sue capacità di giornalista. Perché un'intervista della Fallaci uno potrebbe anche ingegnarsi a scomporla nel suo « meccanismo » tecnico per cercare di capire, anche per lei, il procedimento adottato ma, alla fine, dell'intervistato risulta sempre un personaggio autonomo, resta sempre uno splendido ritratto d'uomo o donna *à la page* rappresentato e colto nella sua verità interiore e fuori degli usurati cliché correnti. È, anche, che sulla « giornalista » fa di continuo pressione (e non diremo che qualche volta addirittura non prevarichi) la « narratrice »: non intesa nella più convenzionale accezione di personalità dotata di fantasia romanzesca, ma nel senso di personalità applicata a penetrare all'interno dei valori apparenti e volta a scoprire i nodi focali di una figura rappresentativa o i punti nascosti di un caso umano. Di più: nell'incontro con la figura da intervistare, Oriana Fallaci si fa essa stessa, per la prima, personaggio, e ogni volta porta nell'intervista il suo impegno, la sua indomabile curiosità professionale e umana, aggiungerei la sua rabbia, e questo atteggiamento, alla fine, diventa la sinopia che articola dall'interno i capitoli di ogni suo libro e ad essi conferisce unità.

Ma non a caso abbiamo messo prima l'accento sulla parola « narratrice ». Si voleva anche suggerire questo: che per una, come la Fallaci, la quale ha fatto ormai la mano a creare quasi settimanalmente certe figure che resteranno tra le cose più pungenti e vere del nostro giornalismo, è stato abbastanza facile — nella misura in cui scrivere un romanzo possa essere un'impresa facile — o diciamo ch'è stato inevitabile (e c'è da rammaricarsi che l'occasione finora non si sia più ripetuta) approdare al romanzo: creare, in altri termini, dei personaggi, tutti di fantasia stavolta, e ritratti con una sorta di bisturi (com'è accaduto appunto in *Penelope alla guerra* che oggi si ristampa in edizione Bur) che quanto più è implacabile tanto più scopre, improvvisamente, certi inaspettati risvolti umani e persino sentimentali. Non si fraintenda sul termine. Ma per noi questa vicenda così moderna e spietata e drammatica e, se vogliamo guardarla da un certo angolo visuale un po' particolare, anche così « cinica », ha la sua punta di forza proprio nella carica dei sentimenti, in quella lezione di

III

onestà e di lealtà che vien fuori nel finale, e illumina, à *rebours*, l'intera storia. E sotto questo aspetto pochi titoli sono così calzanti come questo di *Penelope alla guerra* e ci suggeriscono la chiave in cui va letto il romanzo, con quel senso di femminilità e d'aggressività insieme ch'emana dal personaggio principale, e quella mistione di tenero e vorace che durante l'arco della vicenda la Fallaci sa così bene amalgamare in un impasto di situazioni e di scrittura d'una rara capacità di presa sulla realtà.

Inviata da un produttore cinematografico per due mesi a New York a familiarizzarsi con l'ambiente dall'interno e cavarne un soggetto per un film, la ragazza Giovanna detta Giò parte con l'euforia di conoscere un mondo diverso dal quale è stata sempre affascinata ma forse, inconsciamente, anche con la speranza di ritrovare Richard, un americano che, militare negli anni di guerra, trovò rifugio nella loro casa scappando da un campo di concentramento, e fece innamorare di sé la ragazzina che lei era allora. E, nonostante abbia occhi lucidi e « virili », il primo impatto con l'America e la sua meccanizzazione sembra combaciare con la nozione che di quel paese Giò un poco ingenuamente si porta dentro, e sul momento non incrina il suo entusiasmo.

Ma poi succede — proprio come succede nei romanzi, e nella vita — che Giò ritrovi anche Richard, e che riprenda su altre basi, portandolo sino in fondo, quel lontano legame adolescenziale idealizzato in tutto questo tempo, e allora proprio attraverso l'inibito Richard lo scontro con la realtà si fa aspro e umiliante: e la giovane donna se ne ritorna a Roma, al termine dei due

IV

mesi vissuti nella « favolosa » America, portandosi appresso le ferite d'una sconfitta che forse travalicano la sua qualità di donna e sono le ferite d'una creatura umana che ha sperimentato, pagando di persona, più che l'inconciliabilità di due mondi l'inconciliabilità fra noi e noi stessi. Non vorremmo azzardare ipotesi: ma la ragazza Giò che lasciamo a chiusura di libro potrebb'essere anche la donna innamorata che, qualche anno dopo, scriverà la *Lettera a un bambino mai nato*: ha, maturati dall'esperienza, gli stessi dubbi e gli stessi interrogativi, e la stessa grinta nell'affrontare la vita: ha, resa dal tempo più lucida e cosciente, la medesima nozione della propria femminilità e del suo ruolo nel mondo d'oggi.

Romanzo teso e serrato nella progressione dei suoi viluppi e sviluppi (e qui forse stavolta la giornalista ha prevaricato ogni tanto sulla narratrice), *Penelope alla guerra* racconta una storia, in fondo, tipicamente moderna: l'impossibile amore della ragazza Giò per l'americano Richard, questo patetico Puck che al contrario del folletto scespiriano è nella sua fragilità più che il simbolo della capricciosità dell'amore il simbolo di una nevrosi; ma la Fallaci ha dato alla vicenda certi trasalimenti, e certi brividi e certe apprensioni di grande tenerezza. Di più: direi che in pochi libri come *Penelope alla guerra* c'è il tentativo ben preciso di cogliere la poesia della vita moderna con tanta immediata freschezza: si pensi, per esempio, al notturno vagabondaggio di Giò e Richard per le strade di New York la sera del loro primo incontro, o alla loro gita alle cascate del Niagara — un pezzo che rasenta il virtuosismo — o a quella di fine-settimana per la campagna americana... Ma non vorremmo suggerire un'immagine falsamente idilliaca (s'è parlato di poesia, è vero, ma di vita moderna) di un romanzo ch'è al contrario drammatico e persino aspro, e dove, a conti fatti, il messaggio è quello, non molto consolante, che possiamo ricavare dalla lettera di Bill a Giò che torna a Roma sconfitta: « Non ti protegge nessuno dal momento in cui nasci e piangi perché hai visto il sole. Sei sola, sola, e quando sei ferita è inutile che aspetti soccorso »... Del resto Bill, e la stessa Martine o Francesco, e quel terribile personaggio ch'è Florence, la madre di Richard (un personaggio che da solo può sostenere e definire le qualità di uno scrittore, e che ci documenta a sufficienza su di una società di tipo e clima matriarcale) sono lì, nelle pagine, a correggere ogni falsa interpretazione, e a confermarci che siamo di fronte a un libro violento e tenero, spregiudicato e moralistico, crudele e appassionato, disperato e ottimista, in virtù del quale Oriana Fallaci s'è collocata nel panorama della nostra giovane narrativa con un suo posto preciso e una sua nota inconfondibile.

aprile 1974   **MICHELE PRISCO** *a mia madre*

PENELOPE ALLA GUERRA

Questa nota è per ringraziare un amico. L'amico è Franco Cristaldi che mi ha indotto a riscrivere Penelope alla guerra ed a pubblicarlo com'è. La prima stesura fu scritta, infatti, tre anni fa e mi parve così brutta che per lungo tempo la tenni nascosta. Devo ai consigli, agli incoraggiamenti, all'entusiasmo, alla prepotenza di Franco Cristaldi, produttore che sa leggere, se invece la riscrissi una seconda volta, tornai in America per riscriverla una terza volta, e infine la consegnai al mio editore.

I

Era stato un colloquio ridicolo.

"Qualcosa di moderno, Giò, e di commovente. Una storia d'amore, inutile dirlo, ma con qualcosa in più che l'amore. Il pubblico, altrimenti, si annoia. E ricordi che la protagonista deve essere italiana, il protagonista americano: conosce i problemi della coproduzione. Due mesi le bastano, Giò?"

"Certo, commendatore."

Il produttore parlava, parlava, e lei anziché seguirlo fissava l'orologio a pendolo sulla parete di fronte: anche nel corridoio dove l'avevano messa a dormire quando Richard s'era preso il suo letto c'era un orologio a pendolo, e ogni quarto d'ora suonava col verso della campana di Westminster.

"Le affido un compito insolito, in realtà le regalo una lunga vacanza. Se ne rende conto, Giò?"

"Certo, commendatore."

Una campana che non assomigliava a nessun'altra campana. Di giorno, le faceva pensare al matrimonio di un re: con le cappe di ermellino, le carrozze dorate, le guardie a cavallo; il re aveva il volto di Richard. Ma di notte, quando il buio e il silenzio la avvolgevano come un su-

7

dario, quel rintocco le dava l'angoscia di una maledizione.

"Lei la merita, beninteso: ha lavorato troppo in questi ultimi tempi ed ha bisogno di svago, di novità. Però, se dovessi regalare un viaggio a New York a tutti i miei stipendiati, finirei sul lastrico: lei mi capisce."

"Certo, commendatore."

Ossessivo finché segnava il quarto, diventava sinistro allorché segnava i due quarti, addirittura agghiacciante quando indugiava sui tre quarti, poi i quattro quarti, e nello stesso momento una processione di fantasmi avanzava verso di lei per arrestarsi sotto la lucerna del corridoio dentro la quale ciascuno volava e si appiattiva dissolvendosi in macchie.

"Una eccezione solo per lei. Cosa non farei, per lei, Giò!"

"Grazie, commendatore."

Immobile sotto i lenzuoli, si irrigidiva a fissar la lucerna dove le macchie disegnavano profili di draghi, bocche di donne piangenti, figure mai uguali che si scambiavano i contorni per lasciarla smarrita. Poi, con un brivido secco, la sua fantasia correva alla stanza di Richard: con la poltrona di velluto marrone, la coperta bianca di pizzo, gli scaffali coi libri di scuola, le fotografie dei defunti sopra una mensola e che, dalle cornici d'argento, fissavano i vivi con rimprovero un po' iettatorio.

"Ancora una cosa. Gomez, il mio socio di New

York, la tormenterà un pochino: sempre a chiederle se lavora, cosa fa, se ha trovato il soggetto. Lei non se ne curi. Sono io che comando e che pago. Al ritorno butterà giù una ventina di cartelle ed insieme le discuteremo. Intanto si diverta, si riposi."

"Grazie, commendatore."

Uscivano da quelle cornici, i fantasmi: un uomo, un altr'uomo, un altr'uomo ancora, una donna, un'altra donna, un bambino dall'espressione di nano maligno sopra il colletto di trine, e il più insistente portava i baffi. Era insistente perché prima di volare nella lucerna si fermava a guardarla e scoteva piano la testa. Lei doveva chiudere gli occhi per impedirsi di toccarlo, seguirlo.

"Sono sicuro che tornerà con una bellissima storia, Giò, e ne faremo un bellissimo film."

"Grazie, commendatore."

Li riapriva quando era svanito, il fantasma coi baffi. E allora provava un senso di sollievo e di vuoto che bisognava immediatamente colmare: il pensiero correva a Richard. Insieme a Richard saliva sui grattacieli dove le trombe degli angeli annunciavano il Giudizio Universale ai dannati raccolti nella valle di Giosafat. Poi i grattacieli si sbriciolavano come castelli di rena, e il prossimo rintocco dell'orologio la coglieva in questo sgomento, subito annegato nel sonno.

"Arrivederci, Giò."

"Arrivederci, commendatore."

* * *

Ridicolo eppure inquietante. Di solito non si abbandonava a fantasticherie quando discuteva di affari col vecchio. Perché, dunque, era successo? "Bene, è successo" pensò con un'alzata di spalle. Poi chiuse le valige, mise la macchina da scrivere nella custodia, si pettinò, si truccò, e sebbene fosse in ritardo, Francesco la sollecitasse con sospiri annoiati a far presto, indugiò ugualmente a guardarsi, un poco delusa, allo specchio. Ogni volta che passava dinanzi allo specchio non riusciva a vincere la tentazione di guardare ciò che al mondo la interessasse di più: se stessa. E ogni volta restava un poco delusa: quasi che la ragazza di fronte fosse un'altra persona. Si sentiva un corpo robusto, ad esempio: e invece il corpo dentro lo specchio era fragile, efebico. Si sentiva un volto eccezionale, bocca dura, naso forte, occhi fermi: e invece il volto dentro lo specchio era un volto qualsiasi, la bocca tenera, il naso piccolo, gli occhi a volte così spaventati. E non si piaceva. Della ragazza dentro lo specchio le piacevano solo i capelli perché erano biondi e in essi dimenticava di appartenere a una terra dove le donne avevano capelli neri, come sua madre, non contavano nulla, come sua madre, e piangevano, come sua madre. Una volta, quand'era bambina, aveva visto pianger sua madre. Stirava le camicie e piangeva, le lacrime ruzzolavano sul ferro da stiro e svaporavano friggendo dentro il

10

calore: sul ferro restavano macchioline un po'
opache quasi fossero state gocce di acqua e non
lacrime. Ma poi anche le macchioline sfumava-
no, come se il loro dolore non fosse esistito, e da
quella volta essa aveva giurato a se stessa che non
avrebbe mai stirato le camicie e non avrebbe mai
pianto. "Mai, Giò!" ripeté ad alta voce.

"Come hai detto, Giovanna?" chiese Francesco.

"Ho detto mai."

"Mai cosa, Giovanna?"

"Mi chiamo Giò, non Giovanna."

"Sì, Giovanna."

"Non riuscirai mai a chiamarmi Giò?"

"No, Giovanna."

"Su, prendi queste valige."

Francesco si alzò, con affettuosa tolleranza. Alzò un sopracciglio, con sospetto.

"A volte ho l'impressione che tu mi detesti."

"Non ti detesto. Mi irrita soltanto che tu mi
chiami Giovanna."

"Che tu mi odi."

"Non ti odio. Mi infastidisce soltanto che tu
mi veda per ciò che non sono."

"Che non te ne importi nulla di me. Stai par-
tendo e invece d'essere triste scoppi di gioia."

"Francesco!"

Gli agguantò i polsi che erano larghi, impellic-
ciati da una peluria scimmiesca. Lo guardò nelle pupille che erano pazienti, immalinconite dalle lenti degli occhiali a stanghetta. Sorrise pen-

11

sando quanto egli fosse invidiabile, solido come un albero con profonde radici, forte come un maschio cui è toccato lo squisito privilegio di nascere maschio. Lo abbracciò.

"Mi sei caro, Francesco: lo sai. Mi piaci, Francesco: sai anche questo. E prima o poi, se ne ho voglia, ti sposerò. Ma ora parto. E parto volentieri. Cerca di capire, Francesco."

"Andiamo, Giovanna. Ci vuole mezz'ora per raggiungere l'aeroporto" rispose serio Francesco. Poi sollevò le valige, quasi non pesassero nulla, le caricò sull'automobile, sedette al volante, partirono. Roma bruciava di sole, quel giorno, e le cupole sembravano più tonde che mai dentro il sole, le foglie più verdi, la dolcezza più dolce. Ma lei partiva senza rammarico perché erano ventisei anni che mangiava cupole e verde e dolcezza e ormai aveva fame di grattacieli, di grigio, di guerra.

"Francesco, come credi che sia l'America?"

"Come nei libri e al cinematografo."

"Io, no. Io credo che l'America sia molto diversa da quello che dicono i libri o si vede al cinematografo. Chissà perché, ma io penso all'America con la stessa fiducia di chi debba trovarci un miracolo. Dev'essere una terra divorante, da guardare con gli occhi di Alice nel paese delle Meraviglie: con la gente che vola come le rondini tra i grattacieli, le case che sfiorano le nuvole, i ponti sottili come aghi d'argento..."

12

«Chi ti ha raccontato queste sciocchezze?»

«Un americano che conobbi tanti anni fa. Perché sciocchezze? Potrebbe anche essere vero.»

«Sai, Giovanna: ogni paese è bello o brutto a seconda dello stato d'animo con cui lo vedi. Se sei felice, anche Abadan ti sembra un'opera d'arte. Se non lo sei, perfino Venezia ti sembra volgare. E poi, ricordalo: l'America non è esattamente un paese. È uno stato d'animo, un'epoca. Tutt'al più, l'espressione di un'epoca.»

«Francesco, come credi che siano gli americani in America?»

«Come qui. E come noi. Belli, brutti; coraggiosi, vigliacchi. Socialmente parlando la mia teoria è molto semplice: noi siamo un popolo di intelligenti guidati da un gruppo di mediocri, loro sono un popolo di mediocri guidati da un gruppo di intelligenti.»

«Sarà. Però pagano bene le idee. Lo sai quanto guadagnerebbero, in America, due soggettisti come noi? Né più né meno quanto guadagna in Italia una diva del cinema. Gli italiani pagano bene la carne e gli americani pagano bene le idee.»

«Perché ne hanno poche. Il prezzo sale, sul mercato, quando un prodotto scarseggia. Ecco un'altra piccola differenza tra noi e loro: noi siamo un popolo con pochi muscoli e molte idee. Loro sono un popolo con poche idee e molti muscoli.»

«Francesco! Perché ce l'hai con l'America?»

13

Francesco restò un poco assorto, come teso a riordinare i pensieri. E gli alberi verdi scappavano sollevando la polvere, dai campi aridi veniva un monotono frinire di grilli, un sapore di terra, lo spettacolo triste di cani randagi, vigne basse, rovine, un'aria di povertà.

"Vedi, Giovanna: anche se l'America è la espressione di un'epoca, io non ne sento il richiamo poiché è la sostanza di quest'epoca a non interessarmi, malgrado sia quella in cui sono nato e in cui vivo. Io sono un europeo che non grida allo scandalo se vede installare negozi di frigoriferi sotto i portici del Vignola e del Sansovino ma che ha sempre bisogno di un termine antico cui appoggiarsi: come esigenza sentimentale ed estetica, come salvezza. Capisci? L'antico mi dà il senso dell'eterno e del vero. L'America, questo simbolo d'oggi, mi dà tutto il contrario ed io non avverto il bisogno di stringerle cordialmente la mano."

"Parli così perché non la conosci."

"Non avverto neppure il bisogno di conoscerla. Quello che determina curiosità nel viaggiare, ammettilo, sono i prodotti di un paese. I prodotti più esportati d'America, ammettilo, sono gli americani. Ed io ne ho conosciuti troppi per non giudicarli un prodotto scadente. È un discorso che non ti va a genio, lo so. A te è rimasta degli americani l'impressione romantica che ne ricevesti quando vennero in Europa come liberatori. Dovrai scoprire da sola che non sono migliori di noi. Sono soltanto più ricchi: il che giova pochissimo a modificarne il giudizio. Sì, sì. Scuoti pure la testa. Tra sei giorni mi scriverai che avevo ragione. Del resto, non è colpa mia se mezz'ora con un contadino di Agrigento mi arricchisce più che un pomeriggio con Irving Shaw o Joe Di Maggio. Non è colpa mia se la cattedrale di Reims mi piace più del palazzo dell'ONU. Ti dispiace cambiare discorso?"

"Figurati. Non chiedo di meglio. Possibile che tu debba sempre fare discorsi gravi con me? A me piace ridere, scherzare. All'inferno!"

"Sono già all'inferno, grazie. A proposito: non cercherai mica quella pazza di Martine, a New York?"

"Certamente. Lo sai bene che è l'unica donna con cui riesca a stare più di mezz'ora."

"Di male in peggio."

"Perché? Un tempo Martine ti piaceva. Non è stata una tua grande passione?"

"Una ragione di più per non vederla."

"Quanto sei conformista! Cosa vuoi che m'importi se ti sei portato a letto Martine?"

"Ah, sai! Se fossero tutte come te, potrei ritirarmi in un convento di frati trappisti."

"Preferiresti che fossi come Martine?"

"Se tu fossi come Martine non riuscirei ad amarti."

"Però Martine è più bella di me."

Francesco si voltò di scatto e quasi accarezzò con lo sguardo quel volto liscio e dorato, quei

15

denti candidi e forti, quel corpo magro che chiudeva salute.

"Ogni tuo poro è più sexy di tutta la pelle di Martine. Sei fresca come un'insalata fresca. Accanto a te Martine sembra una foglia appassita. Fino a quando continuerai a servirti di questo? Anche il vecchio è innamorato di te e tu lo sfrutti facendoti mandare in America."

"Sei nervoso, Francesco?"

"Non sono nervoso. Sono preoccupato: come se dovesse succederti qualcosa di grave, laggiù. Non alludo al pericolo che tu ruzzoli dall'Empire State Building e nemmeno a quello che tu resti sotto una Cadillac. Alludo a una minaccia che nemmeno io so definire. Sei cinica e allo stesso tempo sei ingenua. Capisci tutto e allo stesso tempo non capisci nulla. A volte mi chiedo come tu possa fare il mestiere che fai essendo afflitta da tante lacune. Accidenti! Hai inventato di te stessa un personaggio che non esiste. Può costarti caro, laggiù."

"Senti, Francesco. Non ho inventato un bel nulla. Me la sono sempre cavata benissimo. Questa non è la prima volta che parto. Voi italiani avete sempre bisogno di drammatizzare le cose."

"Voi italiani! Come se tu fossi già americana! Come se la tua casa fosse laggiù. La tua casa è qui, dove sei nata. Ma cosa vai a cercare in America?"

"Il soggetto di un film, non lo sai?"

"Il film non c'entra. E non c'entrano neppure

16

le case che toccano il cielo, altre fantasie. Se il vecchio non ti avesse mandata, in America, prima o poi ci saresti andata da te. Da quando ti conosco non fai che parlarne: sembra che tu abbia un appuntamento, laggiù. Peggio: sembri un Ulisse che va ad espugnare le mura di Troia. Ma non sei Ulisse, sei Penelope. Lo vuoi capire, sì o no? Dovresti tesser la tela, non andare alla guerra. Lo vuoi capire, sì o no, che la donna non è un uomo?"

Erano ormai arrivati all'aeroporto e smisero di litigarsi perché lei aveva una quantità di cose da fare. Prego, signorina, l'aereo decolla tra mezz'ora. Prego, il passaporto è rinnovato? Il certificato di vaccinazione ce l'ha? Prego, si accomodi alla dogana, no, il signore non può entrare. Lo saluti, si affretti.

"Allora ciao, Francesco. Hai nient'altro da dirmi?"

"Solo questo: scordalo."

"Cosa? Chi?"

"Quell'americano che ti raccontava fandonie."

"Non essere assurdo, Francesco. È morto."

"I morti, a volte, sono più vivi dei vivi. E ammazzano i vivi."

"Francesco! Io vado solo in America. Perché vuoi sciupare ogni cosa?"

"Troppo giusto. *Each man must some day discover America, under penalty of death.*" Sorrise con tristezza, tradusse: "Ogni uomo deve un giorno scoprire l'America, sotto pena di morte. O a costo di morire? Sai l'inglese meglio di me. Per tua informazione, è una frase di La Fayette. La disse a settantadue anni, dopo aver combattuto per l'America, il marchese Marie Joseph Paul Yves Roch Gilbert de Moitiers de la Fayette".

"Che memoria! Non potresti salutarmi un po' meno minacciosamente?"

"Oh, sì. Io ti aspetto, Giovanna. Ciò ti riguarda?"

Gli voltò stizzita le spalle. Stizzita entrò nel recinto della dogana, poi nella sala di imbarco, poi sulla pista e, quando l'aereo si alzò, nemmeno un attimo si dolse per la sua scortesia. Al ritorno, pensò aggiuantando un manifestino turistico, gli dirò che la cosa mi riguarda: per ora stia lì a rodersi il fegato per avermi detto tante sciocchezze. Il manifestino turistico portava un titolo: "Vi piacerà New York, in autunno". Sotto il titolo c'era un disegno della statua della Libertà e un messaggio del sindaco. "Miei cari visitatori, benvenuti a New York: capitale del mondo! Questa statua simboleggia la stretta di mano di noi newyorkesi che siamo felici di riceervi perché qualsiasi cosa cerchiate, New York ve la offre. Vi piacerà New York in autunno!" Oh, Dio! E se Francesco avesse avuto ragione? Se New York non le fosse piaciuta? Impossibile. Sarebbe stato come rinnegare il ricordo di Richard, i suoi occhi, il...

E che colore avevano gli occhi di Richard?

Azzurri, neri, marroni? Incredibile come il tempo possa sfumare, fino a renderla opaca nella memoria, l'immagine di una creatura che è stata qualcosa per te. Di Richard non ricordava con esattezza nemmeno i lineamenti. Ricordava solo quei riccioli rossi e quelle spalle ossute intraviste dal buco della serratura il giorno in cui aveva scoperto che lui e Joseph dormivano in camera sua e per questo la mamma l'aveva trasferita sul divano del corridoio dove c'era il maledetto orologio che le partoriva fantasmi coi baffi. Poi Richard s'era voltato e si copriva il volto con le mani. Le mani, questo lo ricordava, erano bianche come quelle di una fanciulla e abbassandosi avevano scoperto il volto che era il volto di uno che ha fame. Joseph invece lo rammentava benissimo. Era un omone con le guance rotonde, un neo sopra il mento, dentro il neo c'era un pelo. "Mamma! Ci sono due uomini in camera mia," aveva gridato. Ed ecco la mamma tapparle la bocca, spiegarle che si trattava di due americani scappati da un campo di concentramento. Bisognava nasconderli senza dire nulla a nessuno altrimenti i tedeschi li avrebbero portati in Germania, dentro altri campi dove morivano tutti. Non lo sapeva che gente cattiva li consegnava ai tedeschi per millecinquecento lire ciascuno? Lei era rimasta un po' incredula: le sembrava impossibile che la vita di un americano costasse millecinquecento lire, il prezzo di un paio di scarpe con la suola di gomma. Aveva dodici anni, a quel tempo, e c'era la guerra. I tedeschi avevano invaso l'Italia e il babbo si comportava come se fosse inseguito. Quella sera ripeteva accigliato che non ci si può fidare di una bambina, infine aveva borbottato pazienza ordinandole di rendersi utile. Non studiava l'inglese? Che facesse da interprete. Il suo inglese era elementare però si faceva capire. In inglese Joseph le chiedeva un mucchio di cose, Richard invece non la guardava neanche. Anche a tavola non diceva mai nulla. Solo dopo molti giorni s'era deciso a risponderle. "Richard, il tuo letto è quello di destra, vero?" "Certo, non vedi che Joseph dorme in quello di sinistra?" "Richard, sono contenta che tu abbia scelto quel letto." "Perché?" "Perché è il mio letto." Così lui aveva riso, ma in modo buffo, quasi piangesse, e le aveva raccontato tante cose: d'avere vent'anni, d'abitare a New York dove sarebbe diventato un pianista. Aveva una voce incerta che a momenti sembrava rompersi in stecche come in uno che canta, e parlava di New York come di un paese di fate. "Sai, Giovanna, ci sono case che toccano il cielo. La sera, se allunghi una mano gratti la pancia alle stelle e, se non stai attenta, ti bruci le dita. La gente vola come le rondini tra i davanzali, i treni corrono sotto le strade solleticando le corna dei diavoli e i fiumi son così grandi che sembrano laghi; su questi laghi schizzano ponti sottili come aghi d'argento." Poi la accarezzava dicendo che anche lei era bellissima e Joseph rideva: "Non è straordinario? C'è un idillio tra Giovanna e Richard".

Era durato un mese quest'idillio con Richard. Quando Joseph entrava nel bagno per fare la doccia, lei sgusciava lesta da Richard e si mordeva le labbra per farle diventare più rosse, impallidiva all'idea che tutto potesse finire. Era sgusciata da Richard anche quel pomeriggio, mentre lui sedeva sul letto, lo sguardo perduto in chissà quale pensiero. Udendola s'era voltato e sulle ciglia gli tremava una lacrima. Lei non aveva mai visto una lacrima sulle ciglia di un uomo, così gli aveva voluto più bene e lo aveva pregato di non essere triste: tanto, finita la guerra, lo avrebbe sposato. Richard l'aveva baciata sul naso, poi s'era steso sul letto, le braccia incrociate sotto la testa, a guardare il soffitto: "Vieni qua". Gli era andata vicina sul letto, il letto era fresco e anche Richard era fresco, però lei sentiva un gran caldo, sulla tempia sinistra le pulsava forte una vena, e sentiva anche un gran tremito salirle su dai ginocchi. Così Richard s'era girato, come incerto, come perplesso, poi l'aveva abbracciata come fanno gli attori al cinematografo: e in quel momento li aveva sorpresi Joseph: "Richard!" Subito era scappata, Joseph aveva chiuso la porta, al di là della porta s'era levato un litigio mentre la mamma diceva: "Giovanna! Che hai fatto?"

Litigavano ancora quand'era suonato l'allarme e il ronzio degli aeroplani aveva scosso la terra come il ronzio di una mostruosa cicala. La città era illuminata da palloncini che calavano piano sui tetti, poi si spengevano come fiammiferi uccisi da una ventata e la gente gridava: "I bengala! I bengala!" Il babbo non c'era, la mamma spiegava a Joseph e Richard che bisognava scappare, Joseph rispondeva di no, Richard taceva. Era seguito un lungo momento durante il quale nessuno sapeva che fare, poi Richard aveva detto: "Via! Presto!" ed aveva gli occhi lucidi lucidi. Così s'era trovata per strada, insieme alla mamma, poi dentro il rifugio zeppo di gente, e chi urlava, chi diceva preghiere, mentre la mamma ripeteva non avere paura, ma lei non aveva paura, pensava soltanto: "Richard!" Poi tutto era finito, anche il ronzio della mostruosa cicala, e fuori del rifugio stagnava un silenzio d'inchiostro, molte case eran crollate come pile di libri, i fili del telefono pendevano come spaghi appassiti, sul marciapiede una vecchia sembrava dormisse. Scavalcando la vecchia s'era messa a correre, a correre, poi era entrata in casa urlando "Richard!" ma Richard non c'era e nemmeno Joseph. Lo aveva cercato dovunque: sotto i letti, dentro gli armadi, perfino in giardino tra i cespugli di rose e le file dei cavoli. Richard non c'era. Era fuggito con Joseph durante il bombardamento, diceva la mamma, e d'un tratto lei aveva ricordato di non sapere nemmeno il suo indirizzo a New York. Da quella notte, quanti mesi eran trascorsi nel-

22

l'attesa che Richard inviasse notizie? Tutti i mesi del suo primo dolore: fino a quando un compagno del babbo aveva portato i saluti di uno dei due americani ormai al di là delle linee, l'altro era morto. "Quale?" aveva gridato. E il compagno del babbo: "Il più giovane. È morto il più giovane".

Giovanna voltò le spalle a un viaggiatore che la fissava con golosità e tentò di distrarsi guardando attraverso l'oblò ma al di là dell'oblò c'era solo una nebbia incolore, l'aereo ronzava in quella nebbia incolore ed era come viaggiare, anziché dentro il tempo e lo spazio, dentro un ricordo ignaro di tempo e di spazio. Riprese a pensare: che strano, anche allora stava per incominciare l'autunno, eran passati quattordici anni precisi, la vita dev'essere fatta di nodi durante i quali accade tutto ciò che è mancato nei periodi di noia: quell'autunno era perfino diventata una donna. E dove, accidenti! Alle altre bambine accadeva a letto, a scuola, al cinematografo. A lei, proprio lì doveva accadere: al funerale del nonno. C'era il funerale del nonno, e al sermone un dolore aveva preso a martellarle le reni, scendendo giù verso l'inguine. Spaventata aveva cercato la mamma: la mamma mancava. Imbarazzata, aveva guardato suo padre che subito l'aveva presa pel braccio: portandola fuori. Fuori c'era un odore di erba disfatta, l'odore dei cimiteri. Il cane del guardiano dormiva sopra una tomba e di colpo s'era svegliato correndo a fiutarla. Allora il babbo aveva tirato una pedata nel muso del cane, arrossendo, insieme avevan raggiunto la fermata del tram. Il tram non veniva, la voce del pastore era l'eco di una minaccia. "E il Signore Iddio disse: 'Tu, donna, partorirai con dolore; tu, uomo, lavorerai con sudore'." "Cosa dice, papà?" "Niente, robe sue. Quanti anni hai, Giovanna?" "Dodici, papà." "Hai avuto altre volte questi dolori?" "No, papà." "Speriamo che ci sia a casa la mamma." A casa la mamma non c'era. Il babbo aveva stretto le labbra brontolando che noia, se gli avessero detto che doveva toccare a lui occuparsi di questa faccenda, sarebbe corso alla stazione e fuggito. Poi aveva aperto con gesti goffi l'armadietto della farmacia, le aveva gettato un pacco tutto morbido e bianco, era scappato in cucina a cercare un uovo perché una bambina che cresce deve nutrirsi: lei era rimasta col pacco e una gran voglia di piangere. Ma non aveva pianto, aveva fatto invece le orribili cose che c'erano da fare, presto tornando in cucina dove il babbo aspettava con l'uovo in mano, sgomento. Tenendo l'uovo in mano il babbo le aveva osservato subito gli occhi e siccome non erano rossi aveva esclamato che buffo, tutte le bambine piangono quando succede, lei no: dunque non era diventata una donna, era diventata un ometto. Anche Richard diceva sempre che era un ometto, Francesco diceva invece che era una donna, insomma nessuno sembrava trovarsi d'accordo su questa faccenda: andassero tutti all'inferno. Che le importava dei loro giudizi e di certi ricordi? L'attendeva un autunno felice, stavolta: senza dolori. Sorrise al viaggiatore che continuava a fissarla con golosità.

Il viaggiatore era americano e subito volle offrirle un whisky on the rocks raccontandole che tornava a New York dopo due anni di assenza.

"Contento, allora!" disse Giovanna.

"No," rispose lui, senza esitare.

"Perché?" chiese Giovanna.

L'americano tacque.

"E dove è stato in questi due anni?"

"Qua e là, per l'Europa."

"E preferisce l'Europa a New York?"

"Sì," rispose lui senza esitare.

"Io, invece, sono contenta di andare a New York."

L'americano tacque.

"New York dev'essere molto bella in autunno."

L'americano tacque.

"Se avessi potuto scegliere, io sarei nata in America anziché in Europa."

L'americano tacque. Poi alzò le spalle. "Ogni cosa è fatta di tre punti di vista: il mio, il suo, e la verità. Ancora un whisky?"

"Grazie."

"Lei è proprio simpatica. Bella e simpatica."

"Grazie."

Alle dieci di sera l'aereo giunse a New York

e, mentre l'americano tirava rassegnati sospiri, Giovanna raggiunse l'edificio su cui sventolava una bandiera piena di stelle. Si sentiva come un apolide ebreo che, giunto alla Terra Promessa, ne bacia le sponde mormorando rapito "Israele!" Era giunta alla Terra Promessa, e: "Dài, Giò!" si ordinò. Giò era il suo nome da quando aveva fatto carriera nel cinema. Giovanna era troppo bonario, banale, così il produttore le aveva proposto di dividerlo in due: o Vanna o Giò. E lei aveva scelto subito Giò: non solo perché era breve, frizzante, le ricordava l'America, ma perché poteva confondersi col nome di un uomo.

II

Certo non era facile entrare nella Terra Promessa. Bisognava esibire fogli timbrati, riempire moduli, accettare l'esame di arcangeli travestiti da poliziotti, una rivoltella al posto della spada di fuoco, dimostrare e giurare che non s'era ammalati, né comunisti, né afflitti da vizi come l'omosessualità e l'ateismo, né dalla vergogna che si chiama miseria. Diffidenti gli arcangeli frugavano allora nelle valige, cercavano rose, salami, strumenti del male dove si annidano germi e fillossera: e fintanto questo durava ti sentivi tapino, indegno d'essere ammesso, tremavi all'idea di finire nell'Isola Lunga che è l'umiliante confine di chi è stato respinto, privo di qualsiasi speranza come il Purgatorio per chi aspiri al Paradiso. Ma poi superavi gli esami, malgrado le apparenze gli arcangeli erano innocui, e di colpo ti accettavano, ti salutavano con pesanti manate e dolcissimi nomi, miele, formaggino fresco, zucchero mio; ti adottavano, ti contagiavano, ti ingoiavano: e in un batter di ciglia diventavi uno di loro. Lei non era già uno di loro ora che, ritta dinanzi alla finestra della sua camera al trentesimo piano del Park Sheraton Hotel, le mani nelle tasche del pigiama e un'espressione di trionfo sul volto, si beveva New York col compiacimento di un bimbo che ha scoperto il mare?

Giovanna tese l'orecchio verso il rumore delle automobili e delle escavatrici: le parve una musica d'arpa. Annusò l'aria che puzzava di benzina e di polvere: ci trovò un odore di gelsomino. Si staccò fischiettando dalla finestra, offrì il corpo nudo alla doccia, poi all'asciugatore automatico e, mentre l'aria calda investiva i bei seni, i fianchi asciutti, il ricordo di quand'era bambina e le toccava sempre l'asciugamano più umido, la mamma diceva stai zitta c'è chi non ha nemmen quello, pensò: "Sono a casa!" "A casa," ripeté infilando l'accappatoio. "A casa," canterellò esaminando con dita nervose i suoi impegni: ore tredici colazione da Sardi insieme a Martine, ore quindici appuntamento con Gomez, ore diciotto cocktail in suo onore. Sì, la casa non è quella dove ti è capitato di nascere, la casa è quella che scegli quando sei adulto e puoi decidere su ciò che ti piace o ciò che non ti piace, sugli anni che ancora vivrai: ecco quel che avrebbe dovuto dire a Francesco, ecco quel che gli avrebbe detto in risposta. Mise un foglio nella macchina da scrivere, scrisse.

"Caro Francesco, i sei giorni son passati e mi duole non poterti dare ragione. È ben vero, infatti, che il palazzo dell'ONU non regge al confronto con la cattedrale di Reims: ma se Miche-

28

langelo capitasse col suo mulo a New York si congratulerebbe con Le Corbusier; se Leonardo da Vinci salisse sull'ascensore che in tre minuti ti porta al centoduesimo piano dell'Empire State Building, si dorrebbe di non averne depositato il brevetto. Al tramonto, che qui si dipinge di rosa come le dita della signora di cui parla il tuo Omero, i grattacieli sembrano torri di San Gimignano: calcolando che furono costruiti in epoca tanto più bisognosa di funzionalità, mi sembra illecito scandalizzarsi perché non hanno quella inclinazione squisita. New York è un miracolo che mi sorprende ogni giorno di più: quell'americano non aveva mentito. Non si vedono statue, in quest'isola tagliata in rettangoli perpendicolari ed uguali, né cupole, né giardini. Il bosco di cemento si alza, tragico e grigio, senza una curva, una voluta bizzarra, un filo di verde. Ovunque si perde lo sguardo trovi spigoli duri, geometriche scale di ferro, cubi di sasso. Eppure tutto, in quest'assenza di grazia, ha un sapor di magia: dai grattacieli che si irrigidiscono come giganti pietrificati alla paura che ti mozza il respiro quando ti inoltri per strade che non finiscono mai, ma in fondo a ogni strada c'è uno strappo di azzurro che ti libera dalla paura. Col sole, i vetri brillano più dei diamanti. Col buio, bruciano più delle stelle. Le stelle in paragone appassiscono, la luna si spenge, e il cielo è in terra. Vorrei riuscire a dir questo nella storia che scriverò: che, qui, il cielo è in terra. E la gente come me si sente nascere una seconda volta. Quanto agli americani, essi sono ricchi: è ben vero. Non v'è desiderio che si possano impedire, spreco che si possano proibire, fatica che si possano risparmiare. Per i desideri più assurdi i negozi offrono formiche fritte e cannoni in disuso, orchidee e castelli smontati, scarpe di zibellino ed elefanti. Per gli sprechi più inutili i marciapiedi si riempiono di poltrone intatte, materassi senza uno strappo, bistecche appena smozzicate. Per le fatiche meno evitabili, le vetrine ti suggeriscono lettere già scritte, guanciali che ti addormentano, macchine per lavarti: tuttavia il loro cervello non sembra soffrirne. D'altra parte, ho sempre pensato che il cervello sia un muscolo da nutrire come gli altri muscoli e che con la fame funzioni assai meno. Quindi non avere timori per me. Non c'è niente, non c'è nessuno che possa farmi male. Mi sento forte, forte, forte, e non mi manca nulla all'infuori di te. Sai, caro, mi capita spesso di ripensare al modo in cui ti ho voltato le spalle quando mi hai fatto quella domanda: certo che 'mi riguarda'. Tua affezionatissima Giò."

Rilesse la lettera complimentandosi per la sua abilità, indossò il tailleur verde perché il tailleur era il vestito in cui si sentiva maggiormente a suo agio e il verde era il colore che impreziosiva di più i suoi capelli, imbucò la busta nel canale pneumatico, scese nella Sesta Avenue col naso ritto di un Napoleone che si accinga a percorrere in trionfo gli Champs Elysées.

* * *

Sardi era affollato, tuttavia Martine si sarebbe fatta notare anche tra la folla di piazza San Pietro durante l'elezione di un papa. Assisa sul divano di velluto rosso, incoronata da un lampadario, alzava il volto irregolare come se fosse un trofeo e accanto ad esso i ritratti dei divi, sulle pareti, scolorivano ogni interesse. Vedendola, Giovanna provò una punta di gelosia: non doveva esser stato spiacevole per Francesco portarsela a letto. Del resto, chiunque provava qualcosa di fronte a Martine; simpatia o antipatia, invidia o amicizia, mai indifferenza. Al contrario di Giovanna che poteva passare assai spesso inosservata, Martine sollecitava sempre interesse; e solo un superficiale si sarebbe permesso di relegarla al ruolo di una sofisticata macchietta che quel giorno aveva i capelli castani raccolti in una piramide, gli occhi più cerchiati del solito e l'anulare sinistro seminascosto da un brillante grosso come una caramella di menta.

"Mon petit chou! I am so happy! Perché non mi hai chiamato prima, carogna?"

"Sono appena arrivata, Martine."

"Bugiarda. Ed io che non sapevo dove trovarti dopo aver letto la colonna del Knicker. Lo sai, no?, che Knickerbocker ha annunciato il tuo arrivo sulla sua catena di duecento giornali?"

"No, non lo sapevo. Delizioso paese dove ti citano su duecento giornali per volta senza che tu abbia fatto nulla per meritarlo! Sono contenta di vederti, Martine. Francesco ti manda molti saluti."

"Caro, carissimo! Frequentabile anche, se non fosse tanto noioso. Ma forse tu non lo trovi noioso. A proposito, che piacere quando ho saputo che s'era innamorato di te. Sai, in fondo lo era anche quando mi faceva la corte: e Giovanna a destra e Giovanna a sinistra. Da quanti secoli non ci vediamo?"

"Solo due anni, Martine. E non sei affatto cambiata."

"Tu sì, invece. E dico: ne hai fatta di strada. Vedo sempre il tuo nome al cinematografo. Dico: che stai facendo a New York?"

"Vacanza-lavoro. Ufficialmente sono qui per inventare una storia. Praticamente per riposarmi facendo da cavia a un esperimento. Prima le storie dei film si inventavano a casa, ora si manda qualcuno nel paese dove si vuole ambientare la storia. Sembra risulti più vera. Del resto, mi piace. E tu cosa fai?"

"Pompo alimenti al mio ex. Dico: hai visto il mio nuovo bambino?" E tese l'anulare sinistro perché Giovanna salutasse il brillante. "Il mio ex è un tesoro, ancora disposto a farmi regali. Dico: non dovrei aver divorziato. Gli uomini giovani non fanno per me. Dico: dovrei risposarlo. Non è chic risposare l'ex-marito? Fa tanto fedele!"

"Martine!" rise, a gola aperta, Giovanna. E la punta di gelosia provata pensando che Francesco aveva amato Martine prima di amare lei svanì in buonumore. Se c'era al mondo una creatura incapace d'essere fedele, questa era Martine. Lo sapevano tutti che aveva sposato quel cinquantenne ricco a miliardi continuando a collaudare i più solidi letti d'Europa: finché il marito l'aveva portata in America e chiesto il divorzio.

"Perché ridi? Che ci sarebbe di straordinario? Io non riesco a star sola e se non fosse per Bill... Sì, Bill. L'ho conosciuto al solito cocktail e all'inizio non mi guardava neanche. Tutto incollato a due teste d'uovo che gli facevan la corte: Bill scrive commedie. Ma io mi avvicino, dico che ho visto le sue commedie, e la sera stessa c'è il patatrac."

Si interruppe per ordinare al maître che aspettava col sopracciglio rialzato.

"Anatra arrosto, va bene? Piselli, va bene? Nient'altro per me, devo stare attenta alla linea. *Merde!* Come fai a restare acciughina mangiando quello che vuoi? Dunque, cosa dicevo? Ah, Bill! Darling, venerdì sera devi assolutamente venire a El Morocco. Voglio che tu conosca Bill. Che uomo! Chic, intelligente. Figurati, mi ha perfino spiegato perché io sto bene in America. Sia io che l'America, dice lui, viviamo nell'equivoco che la felicità voglia dire benessere. Gli americani, dice lui, non conoscono altra felicità fuorché quella materiale che si chiama benessere. E poiché sono generosi come quasi tutti coloro' che si nutrono bene, dice lui, vorrebbero spargere questa felicità a tutto il mondo: quasi che la felicità fosse una cosa da mangiare."

Fece il visino compunto perché il discorso le costava uno sforzo. Gli argomenti seri facevano venire il mal di capo, a Martine.

"Esiste un altro paese, dice lui, che nella Costituzione prometta felicità ai cittadini? Di conseguenza, dice lui, tutto ciò finirà: salterà in aria con la bomba o qualcosa del genere perché, dice lui, lo ha previsto anche Nostradamus quando scrive che verrà un uccello di fuoco e brucerà la grande città sopra l'acqua che sarebbe New York. Sicché, dice lui, tanto vale spassarsela. A proposito: sei sempre così virtuosa?"

Giovanna aveva appena cominciato a mangiare. Smise di colpo.

"Non ricominciare, Martine."

"Oh, Dio! E Francesco, quello sciocco, che aspetta? Di portarti all'altare? E tu, puoi resistere? Ma chérie! Si può sapere perché? Sei troppo bellina e carica di tentazioni per essere anche così virtuosa."

"Lasciami in pace, Martine."

"Nemmeno per sogno: voglio capire. Oggigiorno le vergini sono più scarse degli uomini veri, figurati se rinuncio a capire quando me ne capita una. E poi, alla tua età! Pensa che ne ho discusso anche con Bill."

Tornò a fare il visino compunto.

"Bill dice che in certe donne la verginità resiste a causa del cattolicesimo: il gusto della purezza, il timor del peccato, la paura di incontrare un cattolico che ci tenga, altre sciocchezze. Ma non è il tuo caso, mi pare: se ben ricordo, sei mezza atea. Poi dice che in altre donne è per la paura di avere figli: nemmeno questo è il tuo caso, mi pare. Non sei il tipo che si vergogna a trovare rimedi. Infine dice che a volte è una forma di romanticismo e di orgoglio: romanticismo perché aspettano l'amore innocente, orgoglio perché non sopportano di appartenere ad un uomo o essere scelte. Infatti son donne solo nel corpo, non nello spirito. Questo è il caso più grave e richiede un miracolo. Ora non dirmi che ti capita il caso più grave."

"Martine, se non la pianti me ne vado."

"Oh, Dio! Ti capita il caso più grave. L'avrei giurato. Però lo sai qual è la cosa più sconcertante? È che non sembri affatto così virtuosa. Con la tua pelle e i tuoi occhi hai l'aria di una che schioda i letti ogni sera. Con i tuoi flirt, peggio che mai. Io mi chiedo che faccia farebbero certe tue conoscenze se sapessero la verità."

Giovanna si lasciò andare a un sorriso.

"Semplice: la mia carriera andrebbe in rovina. Sarei messa in ridicolo, poi lapidata. Direbbero: pensa, la Giò: quella che scrive le storie d'amore che fanno impazzir la censura. Infatti lascio che credano tutto il contrario. La verità sta nelle mani di una ristrettissima élite che si guarda bene dal raccontarlo perché equivarrebbe a fare una cattiva figura. Sai, il maschio italiano non rivela certe sconfitte. Pensi che io abbia torto?"

"Penso che sei sconcertante, chérie. Il più sconcertante miscuglio di cinismo e di ingenuità che abbia mai trovato in una sola persona. Soffrirai tanto se non ti fai un poco furba. Sei mai stata innamorata?"

"No, grazie. Passami il sale."

"Allora stai attenta a non innamorarti in America: te la caveresti male, mon petit chou. Questi sono gli uomini più pericolosi del mondo. Non come seduttori, s'intende."

Il resto del pranzo fu un incessante monologo di Martine che parlava di vestiti, di amanti, di scarpe, di Bill, e finalmente si alzava e lasciava sul piatto tre dollari di mancia: "Insieme alla felicità ai cittadini la Costituzione degli Stati Uniti d'America si impegna a procurare il quindici per cento di mancia, lo dice anche Bill.

"Allora, darling, ci vediamo venerdì sera a El Morocco: conosci El Morocco? Volgaruccio ma ci si trova tutta New York. Sai, New York è così piccola: nessuno ci sfugge. Verrai, dimmi, verrai?"

"Va bene, verrò."

"Perfetto. Ora telefono a Bill e glielo annuncio. Ah! M'è venuta un'idea: perché non lasci l'albergo e vieni a stare con me? La camera del mio ex è disabitata: ti piacerà. Ti piacerà anche la casa: è a Greenwich Village. Non per nulla Bill dice che il Village è l'espressione dell'ingratitudine di noi europei. Verrai, dimmi, verrai?"

"Non so, Martine. Dovrei pensarci. Sono così abituata a star sola."

"Niente pensamenti. Ti aspetto per sabato. Oh, l'idea di abitare con una vergine mi diverte da morire. E lavoratrice, per giunta. Sai, la gente che lavora è una razza sociale che non conosco. Bill a parte, s'intende. Ci terrei tanto a scoprire se nasconde una coda."

"Nemmeno un codino."

"Ci terrei anche a scoprire come fa a innamorarsi. Davvero non lo sei mai stata? E Francesco? Ho dimenticato di parlare a Bill di Francesco."

"Martine, devo andare."

Si salutarono schioccando baci nell'aria e un disagio nuovo turbava Giovanna. L'ufficio di Gomez era in Park Avenue, a molti blocchi da Sardi, per tutto il tempo che il taxi impiegò ad arrivarci, la frase le rimbalzò negli orecchi. "Davvero non lo sei mai stata? E Francesco?" Ma sì: a pensarci bene lo era stata, lo era ancora. Ma non di Francesco. Di Richard. E Richard era morto. Ed era morto per colpa sua. E lei era a New York, e bussava alla porta di Gomez produttore associato, e lo salutava con enfasi, e sedeva dinanzi alla sua scrivania, e gli guardava il naso che aveva enorme, gli occhi che aveva piccoli, ed ascoltava la sua voce aggressiva, e lo seguiva in un'altra stanza dove c'era un vaso da fiori sul tavolo ed una ragazza con gli occhiali in un angolo...

"Giò cara, questa è la sua stanza, questa la sua segretaria. Voglio che si senta completamente a suo agio, che non le manchi nulla di ciò che desidera. D'ora innanzi, verrà a lavorare qui dentro."

"Ma... signor Gomez..."

"Niente ma. Qui c'è il frigorifero: se le vien voglia di coca cola o di whisky. Per il caffè ci pensa la segretaria. È una brava figliola, e stenografa molto velocemente. Sarà qui tutti i giorni dalle nove alle cinque. Lei invece verrà quando vuole, è evidente. La poltrona è rovesciabile: riposa la spina dorsale."

"Ma... signor Gomez..."

"Niente ma. Questo è il minimo che possa fare per lei. Ora torniamo nel mio ufficio. Ho qualcosa di molto importante da dirle."

"Ma... signor Gomez... La segretaria..."

"Si segga. Dunque, fino a questo momento abbiamo parlato di problemi immediati: il soggetto del film, l'ambientazione del film, insomma il lavoro che è venuta a fare. Un lavoro tutt'altro che facile: con la scusa di farle un regalo, il vecchio le ha appiccicato una bella gatta da pelare. New York non si capisce in un giorno e inventare una storia che regga, in tali condizioni, è impresa che farebbe tremare il defunto Fitzgerald. Ma ce la farà: ho visto ieri il suo ultimo film, quello sui borsaneristi ambientato in Germania. Un capolavoro. Il regista è eccellente, gli interpreti pure, ma il suo soggetto e la sua sceneggiatura mi hanno esaltato. Lei è nata per far questo mestiere, non c'è il minimo dubbio." Una pausa. "Di conseguenza voglio proporle qualcosa: prima che lo facciano altri e lei mi scappi come un'allodola in cerca di pietre preziose. O.K.?"

Ficcò in bocca uno chewingum, appoggiò i gomiti sulla scrivania, la scrutò.

"Sposata?"

"No."

"Sentimentalmente impegnata?"

"No."

"Le piace l'America?"

"Sì."

"Bene. Questo paese appartiene alla gente giovane e lei è giovane, alla gente sana e lei è sana, alle donne e lei è una donna. Molto bene."

Sputò lo chewingum ma con pudore. Giovanna pensò che era simpatico, malgrado la storia dell'ufficio e della segretaria. Il tipo che si vergogna ad essere dolce e così recita la commedia del brusco. Il tipo, anche, cui riesce difficile dire bugie, ed ascoltarle.

"Le piace il denaro?"

"Sì."

"Molto bene. A questa domanda, lei risponda sempre di sì. Qui conta solo il denaro, mia cara. Il denaro è il nostro dio, la nostra fede, la nosta suprema religione. Osservi le banche, in America: alte, solenni. Non sembrano cattedrali? Sono le nostre cattedrali. Osservi gli impiegati di Wall Street: neri, composti. Non sembrano preti? Sono i nostri preti. Osservi come tutti pronunciano la parola dollaro: con rispetto devoto. Eh, sì, cara Giò. Finché resta in America, a quella domanda risponda sempre di sì. Le piacerebbe restare in America?"

"Sì."

"Molto bene."

Gomez la scrutò con maggiore attenzione.

"Ora eccoci al punto. Hollywood invecchia, gli scrittori di Hollywood invecchiano. Abbiamo sete di soggetti nuovi, di scrittori nuovi: non corrotti dalla letteratura, sorretti dalla gioventù. E paghiamo bene, meglio che in qualsiasi altro paese. Lo sa?"

"Lo so."

"Naturalmente capisco di fare una pessima azione al suo produttore che è anche mio amico. Ma il vecchio è uomo di mondo, perdonerà. Tagliamo corto, il tempo è denaro. Che ne direbbe di mandare il vecchio all'inferno e restare in America? Millecinquecento dollari al mese. Le va?"

Millecinquecento dollari erano quasi un milione di lire. Giovanna fissò Gomez con aria ba-

40

lorda, incapace di dire qualcosa, di muoversi.

"Via, non faccia la difficile, baby. È sottinteso che questa è la cifra base. Esclude gli extra, le spese. E poi si può sempre trattare. Arrivare, che dico, ai duemila. Fa sempre piacere subir le pretese di una donna graziosa. Lei sa d'essere molto graziosa: ciò aumenta il suo prezzo. Ah, se fosse stata un uomo non mi sarei mosso di un dollaro. Invece è una donna: eccomi qua a farmi scannare. Non che ci rimetta, s'intende: deve ancora nascere l'americano che ci rimette a pagar molti quattrini. Però... Pazienza: saprò servirmi di quel faccino e di quel cervello. Ora risponda."

Stavolta Giovanna si strinse nelle spalle: cosa doveva rispondergli? Le sembrava di tornare indietro, nel tempo, quand'era cronista di un giornale qualsiasi e il produttore italiano l'aveva convocata nel suo ufficio per chiederle di scriver soggetti. "Ma non l'ho mai fatto, commendatore." "Ci provi, topolino, ci provi. Basta un intreccio, un po' di verismo, di sesso. Con la sua fantasia!" "Ma perché lo chiede a me, commendatore?" "Dio, quanto è ingenua! Perché una cosa scritta da una ragazza bellina vale il doppio della medesima cosa scritta da un vecchio brutto. Bisogna sapersi vendere al mondo. Consideri lo champagne. Cos'è? Vino che frizza. Se mette una presina di sali effervescenti in un vino qualsiasi, frizza lo stesso. Ma lo champagne si chiama champagne, ha un tappo speciale e tutti lo considerano qualcosa di più di un vino che frizza. Ci provi, topolino. Trecentomila per cominciare, le va?"

"Ma Gomez! Lei non mi conosce. Potrebbe sbagliarsi."

"Per tutti i dollari! Anche furba è. Via, Giò, diamoci del tu e non perdiamoci in diplomazie. Sai benissimo che io annuso il talento come un cane da tartufo annusa il tartufo. Dimmi, piuttosto: ti piacerebbe vivere a Hollywood o preferiresti abitare a New York? Ah, vedo che ti brillano gli occhi. Quindi pensaci e dammi la risposta più presto possibile. Ma nel frattempo lavora e porta a spasso il tuo bel faccino. L'importante, sai, non è esistere: è far sapere agli altri che si esiste. Malinconico, eh? Molto bene. Cominceremo col cocktail di oggi. È in tuo onore: che il vestito sia sexy, mi raccomando."

"Lo sarà. Però ho anch'io qualcosa da chiedere."

"Avanti."

"Quell'ufficio, quella segretaria... Io non sono abituata a lavorare in ufficio e della segretaria non ho affatto bisogno. Non avrò da scrivere molto, in questi due mesi. Solo andare in giro, far qualche ricerca, prendere appunti. La ragazza con gli occhiali mi darebbe fastidio. E in camera mia lavoro meglio. Per intenderci: non mi va. In certe cose sono un tipo all'antica."

"Ah! Non si può dire che tu abbia peli sulla lingua. Pazienza. Li terrò ugualmente a tua disposizione: ufficio e segretaria. Se cambi idea, sono lì: tutti e due. Ciao, baby. Ci vediamo alle sei per il cocktail. E ricordati: duemila."

"Duemila."

Giovanna uscì ubriaca d'orgoglio. E di nuovo le sembrava d'esser tornata bambina quando indugiava a chiedersi quale sarebbe stata la via più svelta a diventare qualcuno e a momenti si vedeva su un palcoscenico col costume di Ofelia, a momenti in tribunale con la toga dalle nappe dorate, a momenti in una sala chirurgica con il camice bianco: e al di là degli alberi e delle colline, oltre i bordi del cielo, vedeva immense città, sconosciuti paesi, il mondo intero da conquistare. Il mondo che Gomez le offriva per duemila dollari al mese. Con duemila dollari al mese, che le importava di Richard, del rimorso per averne causato in certo senso la morte, del suo assurdo amore infantile? Con duemila dollari al mese poteva andarsene sola e senza paura nel gran gorgo di folla, così, accarezzare in occhiate i grattacieli di vetro messi lì a dimostrare che nulla, proprio nulla, era impossibile in questa Terra Promessa, così, passare dinanzi ad una chiesa annerita e rider dei deboli che si inginocchiavano a pregare il Signore, così, portar via un taxi ad un uomo che correva meno di lei, così, entrare in questo negozio di lusso e comprarsi un vestito, così.

Entrò e, simile ad una ventata fetida e dolce, la travolse una folla di donne. Donne belle e

43

brutte, giovani e vecchie, coi pacchi e senza pacchi, nemmeno un uomo in quella folla di donne che agguantavano, lasciavano, riagguantavano, rilasciavano, compravano: voraci, violente, sorelle. Sissignori, sorelle! pensò. Avevano forse bisogno degli uomini queste sorelle nate in una terra dove una qualsiasi Giovanna guadagnava duemila dollari al mese? A mezzogiorno, quando gli uffici si vuotavano per la pausa del lunch, gli uomini coi pantaloni uscivano pei marciapiedi a cercar tristemente una boccata di aria o sedevano stanchi a recuperare energie, ma le donne dai polmoni già gonfi di ossigeno si dirigevano nei negozi privi di aria e non v'era traccia in esse di stanchezza. Fermi dinanzi a un negozio udivate i loro passi batter l'asfalto come zoccolate di bufali, poi le zoccolate diventare galoppo, più forte, sempre più forte, finché la mandria appariva: inesorabile, nera, e a testa bassa piombava su di voi, sulle cose da comprare: e se eravate un uomo vi coglieva il terrore ma se eravate una donna vi esaltava la gioia.

Tagliò a gomitate la mandria. Salì su un ascensore manovrato da una donna che la sputò, insieme a un gorgo di donne, ad un settimo piano gonfio di donne. Si inoltrò per saloni dov'erano appesi migliaia e migliaia di vestiti da donna, tutti identici, tutti catalogati per misura e colore, tutti da comprare in uno sventolare di dollari. Poi, come un frate trappista che a lungo ha soffocato i suoi desideri di viscere ma

44

all'improvviso si trova dentro un'orgia di corpi e con cupa delizia li vuole, si gettò sui vestiti. E li palpava, li stringeva, li strappava dalle zampe dei bufali che a loro volta palpavano, stringevano, strappavano dalle sue mani: in un rito sessuale ed immondo. Questo rosso? No. Questo azzurro? No. Questo bianco? No. Questo d'oro? Sì! Un abito d'oro per celebrare i suoi duemila dollari al mese.

"Che taglia, prego?" domandò la commessa indicando con gesto annoiato un corteo di abiti d'oro.

"Taglia dodici," disse Giovanna.

"Da questa parte, prego" disse la commessa introducendola in uno sgabuzzino foderato di specchi.

Tremando Giovanna lo indossò. Negli specchi si rifletté all'infinito una fila digradante di donne con l'abito d'oro, una identica all'altra, una più piccola dell'altra: più piccola, sempre più piccola, finché in fondo il volto spariva, ed anche le braccia, le gambe. E della donna restava una goccia di oro: gelida e lucida come un marengo.

"Lo prendo," disse Giovanna.

"Lo incarto," disse la commessa.

"Quanto costa?" chiese Giovanna.

Costava solo ventisei dollari e novantanove centesimi, escluso il sovrapprezzo per le correzioni da fare. Ma non c'era nessuna correzione da fare.

III

Appena entrò, col suo abito d'oro, una paura le chiuse lo stomaco: come se qualcosa d'illogico, di inevitabile insieme, dovesse accaderle; o un nemico invisibile fosse lì ad osservarla. Preoccupata, girò gli occhi e cercò, ma non vide nulla che giustificasse una tal sensazione: il cocktail era un cocktail qualsiasi e la gente era lì per renderle onore. Spaventata, si aggrappò a Gomez, quasi a chiedergli aiuto, e Gomez scambiò quel gesto per timidezza: "Su, su. Sono soltanto imbecilli cui devi dimostrare che esisti". Poi la spinse tra gli invitati che gremivan la sala spiegando a ciascuno chi era, da dove veniva, e cosa faceva.

Gli invitati si dividevano in gruppi e ciascuno aveva nella mano destra un bicchiere di whisky. Al suo avvicinarsi, il bicchiere di whisky passava dalla mano destra a quella sinistra ed incominciava un dialogo assurdo, carico di sorrisi assurdi, di festosità ipocrita. Raramente qualcuno intavolava un discorso che andasse più in là di complimenti generici o di considerazioni sul bollettino meteorologico.

"How do you?"

"How do you do."

"Lei viene dall'Italia?"
"Sì, vengo dall'Italia."
"Bel paese, l'Italia."
"Grazie."
"How do you do?"
"How do you do."
"Bella giornata, oggi."
"Sì, bella giornata."
"Le piace New York?"
"Sì, mi piace New York."
"How do you do?"
"How do you do."

Nessuno sembrava accorgersi del suo abito d'oro: come se vestirsi di oro fosse una cosa assolutamente normale. Nessuno si curava di nulla: in un angolo, un signore ubriaco aveva catturato una bottiglia di whisky che teneva piegata e il whisky si versava lentamente sopra i calzoni, poi gocciolava in un rivolo triste per terra, e gli invitati restavano fermi a guardare. La sua paura cresceva. Una paura ingiustificata, irragionevole, che le piegava le gambe, le paralizzava il cervello, le imbiancava la faccia.

"Ma baby, cos'hai?"

"Niente, Gomez. Niente. Forse son stanca."

"Vuoi bere, baby?"

"No, grazie."

"Allora parla, collabora. Questi dormono da quando Cristoforo Colombo sbarcò dalla nave. Sei tu che devi svegliarli. Ah! Ecco un produttore che devi conoscere."

"How do you do?"

"How do you do."

Il produttore era un bel giovanotto che tornava da un safari nel Kenia. Si informò genericamente sulle sue qualità di scrittrice e poi le raccontò tutto su un certo leone che aveva colpito all'orecchio ma non voleva morire. Lei ascoltava annoiata, guardandosi in giro, e la paura cresceva.

"Va meglio, baby?"

"Va meglio, grazie," mentì.

"Ora voglio presentarti il signor Hultz. Il signor Hultz è l'uomo che ti pagherà i duemila dollari al mese."

"Va bene."

"Cerca di essere gaia, gentile. Non capisco che cosa ti prenda, stasera. Raccontagli una barzelletta. Adora le barzellette."

"Va bene."

Si avvicinarono al signor Hultz che era grasso, rosso, e si reggeva con entrambe le mani al bicchiere nell'evidente illusione che ciò servisse a non farlo cascare per terra.

"Hultz, ti presento l'ospite d'onore: la mia nuova scoperta. Non farla scappare."

La mano sinistra del signor Hultz lasciò il bicchiere e agguantò un polso a Giovanna: consapevole che quel sostegno fosse un po' più sicuro.

"Bella ragazza. Le facciamo un provino?"

"Ma no, Hultz. Giò non vuole fare l'attrice. Ha scritto quel film sui borsaneristi in Germa-

48

nia. Quello che ti è piaciuto tanto, ricordi?"

"Perbacco! È lei?!"

Il signor Hultz strinse più forte il polso a Giovanna che di nuovo avvertì il nemico invisibile e girò lo sguardo, smarrita.

"Gomez, questa è la preda migliore che tu mi abbia portato. Le hai dato una segretaria, un ufficio? Voglio che abbia tutto quello che vuole." Poi si rivolse a Giovanna: "Pardon, miss Talento. Ho dimenticato il suo primo nome. Come si chiama?"

"Giò," rispose Giovanna.

"Joan?" chiese il signor Hultz.

"Non Joan: Giò," disse secca Giovanna.

La misteriosa presenza cresceva, cresceva. Ora le mani di Giovanna erano ghiacce e il suo umore cattivo.

"Giò come John?" chiese, stupito, il signor Hultz.

"Giò come John," disse secca Giovanna.

"Ma è un nome d'uomo!" esclamò il signor Hultz.

"È un nome di donna."

"Baby, t'ho chiesto d'esser gentile," sussurrò Gomez.

"Ti prego, Gomez, andiamo via."

"Ma baby! Sei impazzita?"

"Andiamo via."

"Parla piano: finirà col sentirti."

Il signor Hultz, invece, rideva benigno: senza seguire i loro sussurri.

"Scommetto che John mi ha portato una barzelletta, da Roma."

"Avanti, raccontagli una barzelletta," supplicò Gomez.

Giovanna strinse le mascelle.

"Conosce la storiella del napoletano che sta al sole, signor Hultz?"

"No, no!"

"Bene. Un napoletano sta al sole senza far nulla. Passa un signore ricco e gli chiede: 'Perché stai al sole senza far nulla anziché lavorare?'"

"Ah, ah!" rise il signor Hultz lasciando il polso di Giovanna.

"Il napoletano chiede al signore ricco per quale ragione egli lavori invece di starsene al sole. Il signore ricco risponde: 'Per mettere i soldi da parte e starmene al sole quando son vecchio'."

"Ah, ah!" rise il signor Hultz e riagguantò il polso a Giovanna.

"Allora il napoletano risponde: 'Ecco, io ci sto già'."

"Ah, ah, ah!"

Il signor Hultz rideva e Giovanna pensava quanto fosse cretino il signor Hultz quando, nel fondo della sala, scorse due occhi che vagavano nel vuoto con malinconia conosciuta, poi un volto secco, come di uno che ha fame, poi una testa rossa: così familiare.

Di colpo abbassò lo sguardo sul signor Hultz. Lo rialzò.

La testa rossa era ancora lì.

Lo riabbassò, impietrita.
Lo rialzò.
La testa rossa era ancora lì.
Lo riabbassò.
E certo passò molto tempo prima che capisse quant'era inutile star ferma a guardarlo invece di correre verso di lui. Quando lo capì, fece il movimento di lanciarsi in avanti: ma il signor Hultz rideva e stringeva il suo polso.
Tentò di liberare il suo polso. Non le riuscì. Tentò di chiamare, di gridare quel nome. Dalla gola non le uscì alcun suono. Liberò finalmente il suo polso. Si tuffò nella folla.
Si tuffò ma la folla era diventata un'asse di legno, gli invitati pezzi di legno che un Dio divertito e sprezzante si sollazzava a non spostare di un solo millimetro. Stavano lì, coi loro bicchieri e i loro sorrisi di legno, ed avanzare era come avanzare in un incubo: quando sogni che qualcuno ti uccide e vorresti scappare ma le tue gambe rimangono ferme, vorresti chiedere aiuto ma la tua lingua è tagliata.
"Richard!" gridava in silenzio. "Richard!"
La testa rossa restava immobile. Poi spariva. Poi riappariva. Rispariva, riappariva come un miraggio: e mentre Giovanna si insinuava dolorosamente in quell'asse di legno almeno sei volte lo perse di vista, lo rivide, lo perse ancora di vista, lo rivide. Finché fu in fondo al salone e non c'era più.
"Baby, cerchi qualcuno?"

La voce di Gomez suonò preoccupata. Giovanna si ricompose.

"No, grazie. Mi sembrava d'aver visto un amico. Evidentemente ho bevuto un po' troppo."

"Non hai bevuto nemmeno una goccia di acqua."

"Avevo bevuto prima."

"Niente aguzza la vista come il whisky. Posso aiutarti?"

"No. Era un fantasma."

"Ha un nome, questo fantasma?"

"Non lo ricordo nemmeno."

"Allora andiamocene. Tanto, Hultz è crollato."

Chiamarono l'ascensore, Giovanna alzò di scatto la testa.

"Gomez, esiste una lista degli invitati a questo cocktail?"

"No, figurati. A volte ci si invita per telefono. Spesso si viene per caso, senza sapere nemmeno perché c'è il cocktail. Ma non temere, baby. Il mondo è piccolo e New York è più piccola del mondo. Se hai perso qualcuno ed è scritto che tu lo ritrovi, lo ritroverai. Io ho sangue spagnolo: credo ai fantasmi."

"Ma io non ho perso nessuno, Gomez."

"Tanto meglio."

Gomez la squadrò, tentò di farla sorridere.

"Su, su. Dove è andato a nascondersi il tuo bell'abito d'oro?"

"Sotto il cappotto."

"Ti sta bene, quell'abito. Dovresti esibirlo anche per strada, così la gente direbbe: ecco, finalmente, una ragazza tutta d'oro."

Giovanna sorrise: impenetrabile.

"Molto gentile."

"Ti accompagno all'albergo, baby?"

"No, grazie. Preferisco camminare un pochino."

"Allora ciao. E lavora, mi raccomando."

"Ciao, Gomez," disse Giovanna ma non pensava al lavoro, pensava a Richard. E con lo sguardo interrogava i passanti, lo cercava, le sembrava di riconoscerlo in tutti. Le sembrò di riconoscerlo in un uomo che comprava l'*Herald*, poi in un altro che fischiava ad un taxi, infine in uno che le voltava le spalle e al suo avvicinarsi esclamò: "Andiamo, bellezza?" Frugava, frugava, e inutilmente ripeteva a se stessa quanto ciò fosse buffo: se fosse stato Richard, l'uomo del cocktail, sarebbe stato lui a correrle incontro e comunque Richard era morto. Giusto. Ma non poteva riconoscerla: era una bambina, a quel tempo. Discorsi. Chiunque sapeva che il cocktail era in suo onore: il suo nome non era mica cambiato. Giusto. Però Gomez aveva detto che spesso la gente va ad un cocktail senza sapere perché c'è il cocktail, e per chi. Doveva cercarlo: se non altro per liberarsi da un incubo. E come cercarlo? Al telefono: chiaro. Tutti gli americani hanno un telefono.

Entrò in uno snack bar. Le cabine erano tutte occupate. Entrò in un altro snack bar. Un uomo sgusciò nella cabina libera prima che essa avesse avuto il tempo di tagliargli la strada. Si appoggiò al metallo del bar, chiese una coca cola, aspettò che l'uomo uscisse dalla cabina. L'uomo non usciva. Parlava e parlava. Attese. L'uomo uscì. Lei si precipitò nella cabina. Cercò l'elenco telefonico. Non c'era. Uscì dalla cabina. Prese l'elenco. Ma che elenco! Erano sei libri, l'elenco di New York. Ne aprì uno a casaccio. Era l'elenco per professioni. Che professione faceva Richard? Il pianista: non aveva detto che da grande avrebbe fatto il pianista? Come si dice pianista in inglese? Ma che sciocca: cercasse piuttosto la lettera B.

B come Baline. Ecco la lettera B.

C'erano sette pagine di nomi con la lettera B. Accidenti! Come si fa a cercare una creatura dentro chili di carta stampata?

"Bala... Bale... Bali... Balinoski."

No. Più su.

"Balifort."

No... Più giù.

"Balimas. Balian. Balin!"

No. Doveva esser Baline. Baline con la e finale. Questo lo ricordava benissimo perché un giorno lo aveva scritto sul suo quaderno. Il dito scivolò d'un millimetro, una frazione di millimetro: a cercare una e che non c'era. Non c'era nessun Baline con la e finale. C'era solo quel Balin senza nulla. Si morse il dito. Lo riappoggiò sul Balin. Che si potesse scrivere anche così? Avrebbe chiamato quel Balin il cui primo nome era Laurence: forse il padre di Richard. Rientrò nella cabina, mise i dieci centesimi dentro la fessura. Fece il numero ma il dito tremava talmente che non entrava mai nel buco giusto e dovette rifarlo tre volte.

"Cosa?!" rispose una voce irritata. "Non c'è nessun Richard, qui."

Depose arrossendo il ricevitore. Perché avrebbe dovuto esserci? Richard era morto, brontolò. Poi tornò verso quella biblioteca di elenchi. E se avesse chiamato Joseph? Joseph Orwell. Sciocchezze. Joseph aveva detto di abitare nel Texas. Lasciò andare il libro con la lettera O, si incamminò verso l'albergo: stanchissima, irritata. Ma cos'era questo correre dietro ai fantasmi? Il dolore per Richard s'era esaurito da tempo e gli uomini che aveva conosciuto in quegli anni dimostravano che la fedeltà a un ricordo è impossibile. Doveva imporsi disciplina, non permettere alla sua fantasia di distrarla da ciò per cui era venuta a New York: il lavoro. Ma i ginocchi le facevano male ed ora le faceva male anche la testa. Se almeno fosse riuscita a confidarsi con Gomez o Martine! Peccato detestasse certe debolezze muliebri.

Le prime due notti non dormì. La terza fece tardi con il giovane produttore che era stato nel Kenia e, incuriosito dalla sua fuga, l'aveva cercata: le ore trascorsero così piacevolmente che salutandolo le parve d'esser guarita da un misterioso malanno. D'ora in poi, s'impose, niente più sentimentalismi o allucinazioni. Per cominciare, avrebbe subito telefonato a Martine che non la raggiungeva a El Morocco e subito telefonò. Martine urlò la sua indignazione, la sua amicizia tradita, la supplicò di raggiungerla almeno da Peter: un ristorante della Cinquantasettesima dove sarebbero andati a mangiare verso le nove. "Ti prego, tesoro. Bill porta un suo amico, rompiscatole da morire. Devi liberarmene proprio." Lei fu irremovibile e alle nove, dopo una cena veloce, era a letto: a meditare sulla propria saggezza, la sua autosufficienza, l'indiscutibile dogma che siamo sempre noi a costruire il nostro destino e, dio che freddo! Strano: non era ancora settembre, come poteva far freddo? pensò. Poi, cautamente, tolse un braccio di sotto il lenzuolo, accese la luce, tentò di capire se si trattasse di freddo o di febbre. Un ronzio cattivo le disse che si trattava di aria condizionata: la cameriera ne aveva alzato il volume. Ancor più cautamente si levò, cercò l'interruttore per chiuderla. Non le riuscì di trovarlo e si rinfilò dentro il letto per chiedere aiuto al telefono. Il telefono era sistemato fra la Bibbia e la biografia del signor Sheraton, fondatore degli Sheraton Hotels. Aveva i numeri, come tutti i telefoni, e poi una raggiera con altri numeri che i clienti del signor Sheraton dovevan comporre a seconda di ciò che volevano. C'era un numero per il fattorino ed uno per il cameriere, uno per il pulisciscarpe ed uno per l'ufficio postale, uno per il direttore ed uno per il portiere, uno per le chiamate urbane ed uno per le chiamate interurbane. Ma non c'era un numero per dire che si aveva freddo e non si riusciva a trovare l'interruttore dell'aria condizionata.

Giovanna esitò un poco, rabbrividendo, poi chiamò il centralino e disse che aveva freddo. Il centralino rispose che non era affar suo. Chiamò il fattorino ed il cameriere, l'ufficio postale ed il portiere, il direttore e il vicedirettore, tutti risposero che non era affar loro o doveva rivolgersi a qualcun altro. Depose infuriata il telefono, cercò nella biografia del signor Sheraton dove fossero nascosti gl'interruttori dell'aria condizionata: la biografia narrava soltanto come fosse audace quell'uomo che possedendo cinquanta centesimi era riuscito a costruire alberghi tanto efficienti. Depose la biografia del signor Sheraton e prese la Bibbia: ma nemmeno la Bibbia diceva dove si trova l'interruttore dell'aria condizionata e chi si chiama quando si ha freddo. Si rialzò, raccolse i cappotti, le cose calde che aveva, le buttò sopra il letto come faceva quand'era bambina e in casa non c'era il termosifone, uno scaldino di brace accesa doveva bastare per tutti, tornò a letto ma non aveva più sonno. Così si vestì, si truccò, scese nel bar dello Sheraton per riscaldarsi con un cognac.

"Un cognac doppio, per favore."

Il barista restò immobile, rispose con voce incolore.

"No ladies alone in the bar."

Che aveva detto? Doveva essere sorda.

"Un cognac doppio, per favore," ripeté.

"No ladies alone in the bar."

Ma che diavolo diceva? Pazientemente ripeté la domanda.

"Un cognac doppio, per favore."

Il barista non si mosse. Un cliente intervenne, divertito.

"Le signore sole non sono ammesse nel bar. Lei non è americana, vero?"

"No. Ma voglio un cognac lo stesso."

"Mi permetta di offrirglielo," disse il cliente e le andò più vicino guardandole la scollatura.

"All'inferno!" gridò Giovanna e, sculettando, uscì per strada.

"Taxi!"

Il taxi fermò, in uno stridore di gomme. Lei salì sbatacchiando la portiera.

"Peter restaurant. Cinquantasettesima East."

Le fu chiaro d'aver dato quell'indirizzo solo quando il taxi fermò dinanzi ad una scaletta di legno che dal marciapiede scendeva nella cantina, verso una porta su cui era scritto "Peter". E allora avrebbe voluto dire al tassista di tornare indietro, di essersi sbagliata, di non aver voglia di vedere Martine, né Bill, né il rompiscatole amico di Bill. Ma non lo disse. Pagò e scese la scaletta di legno. Pazienza: sarebbe rimasta dieci minuti, il tempo di bere un cognac e fare contenta Martine.

Aprì la porta, avanzò.

Il locale era piccolo e buio, coi tavolini di marmo e l'eleganza di certi locali all'inglese. Martine sedeva sotto una copia del Tintoretto e sfavillava di gioielli come un ex voto. In quel momento stava portando una sigaretta alle labbra e il suo volto era illuminato da due accendisigari. I due uomini, uno alla sua destra ed uno alla sua sinistra, erano invece due macchie nell'ombra: messe lì per accendere la sigaretta a Martine. Giovanna li guardò appena, distratta da quei gridolini.

"Sei venuta, carogna! Ah, come sono felice!"

Poi Martine fece le presentazioni.

"Giò, questo è Bill. Bill, questa è Giò."

Bill si alzò e le strinse forte la mano. Era grande, diritto, con baffetti maligni, occhi carichi di tollerante ironia. Profumava con violenza di tabacco e turbava al solo guardarlo.

"Giò, questo è Dick. Dick, questa è Giò."

Dick si alzò e Giovanna rimase con la mano a mezz'aria, tesa verso Richard Baline.

IV

Come quando si cerca un oggetto perduto, istericamente invocando l'aiuto dei santi e dei familiari, e più la ricerca è vana più l'isterismo aumenta, ma poi, quando l'oggetto salta in mano per caso, ci si sente di colpo tranquilli e quasi si prova vergogna per aver fatto tanto fracasso, così Giovanna guardava l'uomo che aveva tormentato la sua adolescenza e questi giorni a New York.

Non sentiva gioia, né stupore, né sollievo. Pensava soltanto: allora è morto Joseph, allora non m'ero sbagliata, quanto è cambiato però. Dal fondo della memoria ritrovava infatti i lineamenti precisi di lui, ed era come avere dinanzi un'altra persona. Le guance erano ancora incavate ma nell'incavo si piegava una ruga. La bocca non era più triste ma disgustata. Il corpo era meno sottile e ciò che restava di intatto era lo smarrimento degli occhi. Gli occhi, ora lo ricordava, erano azzurri.

"Hallo, Giò," disse Richard raccattando quella mano a mezz'aria ed era evidente che non riconosceva Giovanna, tantomeno capiva ciò che le accadeva. Bill mise la pipa tra i denti. Martine dischiuse sorpresa le labbra.

"Non mi riconosci, Richard?"

Richard tacque. Bill dischiuse le labbra e buttò fuori una boccata di fumo. Martine batté eccitata le mani: "Si conoscono! Straordinario! Si conoscono!"

"Ti chiami Richard Baline, vero?"

"Sì. Mi chiamo Richard Baline."

Un lungo silenzio.

"Richard, sono Giovanna."

Ancora silenzio. Il volto di Richard mostrava solo una opaca incertezza. Giovanna inghiottì.

"Durante la guerra... Con Joseph Orwell..."

Di scatto, Richard si irrigidì: quasi il nome di Joseph lo avesse bucato con la punta di un ago. Poi si girò a guardare Bill, come a chiedergli aiuto. Poi fissò, incredulo, Giovanna.

Di nuovo Giovanna inghiottì.

"Sono cresciuta, Richard."

Di nuovo Richard si girò a guardar Bill.

Poi gridò: "La piccola Giovanna!" E Giovanna si trovò con la faccia sulla sua giacca, sentì un acuto odor di lavanda, due braccia ossute che la stringevano forte, riconobbe, senza emozione, quella voce malcerta che a momenti si rompeva in stecche come in uno che canta, e ora diceva "Incredibile, davvero incredibile, ma lo sai che incontrandoti per strada non ti avrei riconosciuto? Sei una donna, ormai".

"Ho ventisei anni."

"E io trentaquattro."

Le prese una mano, poi l'altra. Le strinse. La

fece sedere sulla seggiola accanto alla sua.

"Giovanna! Cosa fai a New York?"

"Lavoro. Per il cinema."

"Con chi?"

"Con uno che si chiama Gomez."

"Gomez? Lo conosco!"

E stavolta fu Giovanna a girarsi verso Martine, quasi a chiederle aiuto. Martine non capì.

"Tesori, questo ritrovamento è delizioso ma io sono stufa di stare qui dentro. Voglio andare a El Morocco, voglio ballare. Su, vi farete le feste a El Morocco. Dico bene, Bill?"

Bill annuì, con degnazione. Poi si alzò e mise la stola di pelliccia sulle spalle nude di Martine, restò un attimo fermo a sollecitare con gli occhi Richard e Giovanna.

Richard e Giovanna non risposero.

"Via, ragazzi," mugolò Martine.

Richard e Giovanna non risposero.

"Voglio andarmene," strillò Martine.

Richard e Giovanna non risposero.

"O.K. Fate quel che vi pare. Ci vediamo più tardi a El Morocco," concluse Martine e se ne andò, un po' stizzita, mentre Bill la seguiva in silenzio. Sulla porta, Bill si voltò: la pipa puntata verso Richard. Sembrò sul punto di dirgli qualcosa. Ma non la disse.

Uscirono. La porta sbatté. Giovanna e Richard si fissarono imbarazzati.

"Richard, non dirmi che eri al cocktail di Hultz."

"Sì, c'ero. Qualcuno mi trascinò senza dirmi nemmeno di che si trattasse. Andai via quasi subito. Perché?"

"Ti ho visto."

"Cristo! Dov'eri?"

"Lì. Era un cocktail in mio onore."

"Cristo! Non dirmi che eri la ragazza con l'orribile abito d'oro. Cristo, sì! Eri tu! Cristo, perché non mi hai chiamato?"

"Eri in fondo alla sala. Quando sono arrivata in fondo alla sala non c'eri più. E ho creduto che tu fossi un fantasma. Ti sapevo morto, lo sai?"

"Morto?!" Rabbrividì. "Morì Joseph. Volle scappare, unirsi a una banda di partigiani, e morì. Io non volevo scappare, nemmeno mettermi coi partigiani: ma non si poteva non ubbidire a Joseph. Vi mandai un messaggio, appena passate le linee. Non ve lo portarono?"

"Sì, ma sbagliato. Cose che capitano."

"Davvero ricordi queste cose? Davvero ti ricordavi di me?"

"Come no? Ho anche tentato di telefonarti, dopo il cocktail. Ma non ho trovato il tuo nome sull'elenco."

Richard rise, un po' doloroso.

"Ci sono tremilacentosedici Smith nell'elenco di New York, duemilaquattrocentoquarantaquattro Williams, duemilaottocentotrentacinque Brown. E nemmeno un Baline. Ciò mi distingue dagli altri americani, ti pare? Sono sotto il nome di mammy. È lei che paga il telefono.

Oregon 4..." Le dette il numero. "Scrivilo subito."

Giovanna lo scrisse, con gesto meccanico. A poco a poco l'assurdità dell'incontro, la sua inevitabilità, le diventava chiara alla mente: irrigidendola tutta in un compresso terrore.

"E... vivi solo, Richard?"

"Certo, con chi dovrei vivere?"

"Non... ti sei sposato?"

"Io?!" Rise di nuovo, ancor più doloroso. "E tu?"

"No. Vivo sola." Ora il terrore lasciava posto a una gran tenerezza. "Sai, Richard, ricordo proprio tutto di te: che volevi studiar pianoforte, che... Hai studiato pianoforte?"

"No, era troppo tardi. Mi ritrovai queste mani." Tese le mani che Giovanna rammentava pallide, lisce, ed ora apparivano scure, nodose.

"Faccio il fotografo: soprattutto di moda. Non hai mai visto le mie fotografie su *Harper's Bazaar* ed *Esquire*?"

"... e poi le cose che mi dicevi su New York: le case che toccano il cielo, le dita che grattano la pancia alle stelle..."

"Cristo, che memoria! Ti ho raccontato tante bugie, vero?"

"Non erano bugie. New York io l'ho vista così."

Richard ebbe un lampo di gratitudine poi guardò l'orologio.

"Hai sonno, Giovanna?"

64

«No, davvero.»

«Benissimo. Sono le dieci e mezzo ed io non mi addormento mai prima dell'alba: mi pare che il sonno rubi tempo alla vita. Andiamo a cercare New York.»

Si fermò, spaventato.

«Naturalmente non voglio obbligarti. Ho detto così... Forse preferisci raggiungere Martine... Ti porto da Martine.»

«Non voglio andare da Martine.»

«Bene! Benissimo!»

Urlava come un ragazzo maleducato, agitandosi.

«La mia Giovanna! Come ti ha chiamato Martine?»

«Giò. Tutti mi chiamano Giò.»

«Bene! Benissimo! Mi piace! Ti chiamerò sempre Giò.»

«Io invece ti chiamerò sempre Richard.»

«Come mammy. Anche lei mi chiama soltanto Richard.»

«Perché ti chiamano Dick?»

«È il diminutivo di Richard. Sono un tipo da diminutivo.»

«Anch'io, no?»

C'era un vento leggero, quella sera a New York. Dal mare veniva un sapore salmastro che uccideva il puzzo di benzina e di polvere: acre, di pesce, come quello che si respira lungo la spiaggia quando siamo felici. I semafori erano occhiate di rosso, di verde, di giallo, l'autista che li portava in direzione del porto era allegro, nel porto le navi dondolavano in fila, una accanto all'altra come se fossero barche, ed erano le navi più grandi che essa avesse mai visto, le più bianche, le più belle, ed ora le spolverava un profumo di alghe, ora si alzava un sublime boato che era l'urlo del ferryboat in partenza per Staten Island.

"Sei mai stata sul ferryboat?"

"No, mai."

"Presto, sta per sganciarsi!"

Ecco: si sganciava, con la tolda rotonda in uno schiumare di acqua. Si allontanava, in un mare di pece, sotto un cielo di pece, privo di stelle perché le stelle erano ruzzolate sopra la terra, sull'estrema punta dell'isola che si chiama Wall Street.

"Guarda, Wall Street sta tremando. Trema sempre col vento."

"E non cade?"

"Non può cadere. È immortale."

Ridevano, stupidi come ragazzi, e il volto di Giovanna era fresco sotto lo spruzzare delle onde e le mani di Richard. Richard le voltava la testa perché vedesse la grande signora di ferro che chiamano statua della Libertà e che alzando un braccio virile, la fiaccola, sembrava sorgesse per prodigio dal mare. Poi Richard metteva un soldino dentro il cannocchiale e la grande signora diventava vicina, vicina, ora era addosso e Giovanna poteva quasi toccarne il naso, la bocca, il vestito verde di muschio, la corona intorno alla quale i gabbiani volavano lenti o si libravano, immobili, col capino diritto, le ali spalancate, le zampe aggricciate, ad urlare un lamento subito dimenticato per un nuovo schiumare di acqua, il tonfo del ferryboat che ti ha riportato sulla terra, un altro taxi, un ascensore che ti conduce sulla torre più alta del mondo.

"Sei mai stata sull'Empire State Building, di notte?"

"No, mai."

"Presto, sta per salire!"

Ecco, saliva, in una ventata: mentre le orecchie si riempiono d'aria ma non te ne importa, lo stomaco ti si rovescia ma non te ne importa, ed era come se non fosse mai stata su un ascensore, non avesse mai visto i numeri gialli che si accendono in corrispondenza dei piani, venti, trenta, quaranta, cinquanta, sessanta, settanta, "Dio, come va svelto, Richard!", ottanta, novanta, cento, centouno, centodue, centotré...

"Siamo in cielo!"

"Si vola!"

"La vedi quella terrazza sotto di noi? Una volta la sfiorò un aeroplano."

"Oh, Dio! E non si ruppe?"

"No. Si ruppe l'aeroplano."

Ed ora giù, un'altra sibilante ventata: mentre le orecchie si riempiono d'aria ma non te ne importa, lo stomaco ti si rovescia, ma non te ne importa. Ora via, su un altro taxi che si tuffa dentro le luci, i rumori, centinaia di facce che ti sembran giulive perché tu sei giuliva.

"Dove mi porti, Richard?"

"A Times Square."

"Ma la conosco, Richard!"

"No, non la conosci."

Naturalmente aveva visto tante volte, in quei giorni, Times Square. Ma era come se non l'avesse mai vista e dalle sue labbra usciva un ridere beato, sommesso, mentre Richard indicava l'inferno di luce che bruciava i muri, i tetti, le strade, poi il fumo che usciva giù dall'asfalto, poi la cascata d'argento che da un quarto piano scendeva a reclamizzare una certa acqua da tavola, poi il fuoco che da un terzo piano friggeva per raccomandare un certo tipo di sigari, poi gli scozzesi d'oro che da un secondo piano ballavano per esaltare una certa marca di whisky, poi il torrente di platino che scorreva intorno al palazzo del *Times* per informare di un certo gangster arrestato, poi il lampeggiare azzurro, verde, viola che nasceva e moriva e di nuovo nasceva per annunciare un certo film di Marilyn Monroe.

"Ti piace? Eh, ti piace?"

"È meraviglioso, Richard!"

Non era tutto meraviglioso, a Times Square. Su un marciapiede un mendicante dormiva abbracciato alla pompa dell'acqua e i teddy boys tiravano pedate sul fagotto di cenci che era il suo corpo. Sull'altro marciapiede un'isterica dell'Esercito della Salvezza alzava il visino affogato dentro un gran fiocco e gridava: "I dannati periranno! Il Signore vi ucciderà!" La folla sghignazzava: "Uuuuh! Che paura!" Sulle porte dei bar le prostitute si offrivano, gli ubriachi vomitavano, le creature sole piangevano: ma essi non potevano vederli perché quella notte erano di nuovo fanciulli.

"Compriamo il croccante, Richard?"

"Oh, sì!"

Il profumo delle mandorle impastate con lo zucchero e il burro solleticava le nari di Giovanna e Richard come una rivincita. Ed era mai stato così buono il croccante? Quando lui era piccolo, mammy non gli faceva mangiare il croccante: diceva che era antigienico. Quando lei era piccola, la mamma non le faceva mangiare il croccante: diceva che era indigesto.

"Andiamo a sparare, Richard?"

"O.K. Andiamo a sparare."

C'erano anche i tirassegni a Times Square. E nel saloon del gigante vestito da antico persiano, le scarpe col pompon e la mezzaluna sopra il cappello, si poteva sparare alle oche di carta, agli indiani di plastica, far mille cose come stampare un titolo assurdo su una copia falsa del *Times*, fotografarsi in cinquanta secondi, chiedere il proprio futuro a una macchina. Imbracciarono, sempre ridendo, i fucili. Mirarono alle diciotto candele allineate sopra una panca: ciascuna da spengere con un colpo solo. Alle spalle di lei, i ragazzacci fischiavano: "Battilo, baby!"

"Difendo l'America!" strillò Richard. E ne spense sedici.

"Difendo l'Europa!" rispose Giovanna. E ne spense diciassette.

"Mi hai battuto, mi piace!" strillò Richard.

"Diciassette porta male, bad luck."

"Porta bene, good luck."

"Ora facciamo la fotografia."

Sedettero nello sgabuzzino, compunti come scolari, gli occhi sbarrati sull'obiettivo, e la fotografia venne subito dopo: sfocata, marrone, identica a quelle che ci fanno a scuola, quando si siede accanto al ragazzo o all'amica che ci piace di più.

"Ora chiediamo il futuro alla macchina."

La macchina era di ferro. Ci si appoggiava un cartone firmato, pieno di buchi come le ricevute della luce o del gas, poi si manovrava una leva e la macchina entrava in azione con un fragore pauroso, aghi d'acciaio si infilavan nei buchi del cartone firmato, un braccio automatico allungava il verdetto: stampato lì, sotto i tuoi occhi. Il verdetto di Richard diceva: "Odiate le responsabilità personali. Niente di ciò che fate è deliberato o voluto da voi. Vivrete solo". Il verdetto di Giovanna diceva: "Siete ostinata nei vostri desideri. Tutto ciò che vi succede è voluto. Vivrete sola".

"Richard! Non sarà mica vero?"

"Butta via, le macchine sbagliano. Ecco una edizione straordinaria per te." E con un comico inchino le offrì la copia falsa del *Times* su cui aveva fatto stampare un titolo enorme: *Giò arrived in New York! Dick very happy.*

"Sei adorabile, Richard!"

"Mai quanto te."

C'era un vento leggero, quella sera a New York. Dal mare veniva un sapore salmastro che uccideva il puzzo di benzina e di polvere: acre, di pesce, come quello che si respira lungo la spiaggia quando siamo felici. E nessuno stava lì a dir loro: "Ora basta, bambini". I semafori erano occhiate di rosso, di verde, di giallo, e un silenzio pericoloso lievitava le cose, la loro inquietudine, l'intera città. Si fermarono dinanzi alla vetrina di un ristorante e un tacchino grosso come uno struzzo dormiva, spennato, accanto ad avocados grossi come zucche, mortadelle grosse come colonne, insalate grosse come cavoli ogni foglia dei quali era una scodella dipinta di verde: e tutto era così mastodontico che sembrava cresciuto su un altro pianeta per saziare l'insaziabile fame di qualche gigante, o lo stupore di lei.

"E ora dove andiamo?"

"A Radio City. Voglio farti vedere il cinema più grande del mondo."

Comprarono le noccioline, entrarono nel cinema più grande del mondo, sedettero accanto nel buio: a guardare John Wayne che andava a cavallo.

"Nocciolina?" chiese Giovanna porgendo il pacchetto.

"Nocciolina."

Richard prese il pacchetto e, insieme a quello, la mano di Giovanna. Le loro dita si strinsero: un po' sporche del sale untuoso che lasciano le noccioline, ma nessuno dei due se ne accorse.

Non si accorsero nemmeno di John Wayne che ora scendeva da cavallo e sparava a qualcuno ammazzandolo.

Uscirono.

L'orologio di Radio City segnava mezzanotte e mezzo. Un silenzio pericoloso tornava a lievitare le cose, la loro inquietudine, l'intera città. Entrambi sapevano che avrebbero dovuto salutarsi perché era tardi, perché erano stanchi, perché non avevano più dodici anni e vent'anni ma ventisei anni e trentaquattr'anni. Invece: "Hai sonno, Giò?" "No, non ho sonno." "Ti... ti piacerebbe andare in un altro posto?" "Sì. Voglio andare in un altro posto." E commisero l'ultimo errore.

L'ultimo errore si chiamava Palladium, una pista da ballo pei negri. I negri sedevano sul pavimento e segnavano il tempo con le palme rosa. Il tempo era quello che dava un tamburo e il tamburo era enorme, anche il negro che lo suonava era enorme. Aveva enormi piedi ed enormi polpacci, enorme stomaco ed enormi dita con le quali rubava al tamburo un ritmo ossessivo e crudele che i negri chiamavano twist. Più che rubarlo, però, lo inventava, con la pesante superbia di un popolo sano, e presto non gli bastarono più le dita per inventarlo: così cominciò a battere i gomiti, presto non gli bastarono più i gomiti per inventarlo, così cominciò a batter la testa, più forte, sempre più forte, finché molti negri si alzarono e agitando i fianchi, le spalle, le braccia, si gettarono a ballar sulla pista ormai sussultante di inguini, volti contratti, sudore, ed uno gridò "Come, young lady! Come!", gli altri gridarono "Go, young lady! Go!" Erano cento, duecento, trecento, tutti neri ed enormi intorno a lei così piccola e bianca, e segnavano il tempo, ridevano con enormi occhi ed enormi denti, si spostavano a crearle un passaggio: l'eccitazione aumentò.

"Vieni, Richard!"

"Sei matta!"

"Go, young lady! Go!"

"Ti prego, Richard!"

"Calmati, Giò!"

"Come, young lady! Come!"

Il negro che l'aveva chiamata per primo avanzava, inesorabile. Il tamburo suonava sempre più forte. Trecento paia di occhi la fissavano, tra divertiti ed offesi. Trecento gole la incitavano, ostili e cordiali. Il negro era ora a due passi, un passo, davanti, la aguantava per le braccia, la tirava.

"Non vuoi ballare con un negro, young lady?"

Il tamburo suonò meno forte, intorno si fece quasi silenzio.

"Non vuoi?"

Si alzò. Restò un attimo incerta, frenata dalla paura e il dispetto. Poi di colpo si gettò sulla pista, in quel sussultare di inguini, volti contratti, sudore, e mentre il tamburo riprendeva a suonare più forte, i negri gridavano "Go, young lady, go!", e Richard sollevato gridava con loro "Go, Giò! Go!" cominciò ad agitare i fianchi, le spalle. E ballò, ballò, in perfetta sincronia col tamburo, con le palme rosa che segnavano il tempo, gli urli, il dondolare di teste: finché tutto finì in uno strappo glorioso, un ultimo strillo di Richard, e si trovò spettinata, sudata, coi sensi in disordine addosso a un bambino che desiderava, e che ora la conduceva con un taxi verso Washington Square, ora si fermava con lei sotto l'arco di Washington Square, circondato dagli alberi, nero, così strano a New York, imprevedibile; e la guardava come se non ci fosse più nulla da dire.

Allora lei disse: "Martine abita qui".

Lui disse: "Anch'io abito qui. A tre blocchi".

Lei disse: "Beviamo un whisky?"

Lui disse: "Non... non so se ho il ghiaccio".

Lei disse: "Sì che ce l'hai". E quasi lo spinse verso la casa a due piani, l'atrio col leone di pietra, la piccola porta smaltata di verde che spalancò. Al di là della porta c'era un corridoio, poi un grande soggiorno con un divano di velluto marrone, due poltrone di velluto marrone, una scrivania piena di fotografie e di macchine fotografi-

che. Sul lato destro del soggiorno c'erano **due**
porte: quella della cucina e quella della stanza
da bagno. Sul lato sinistro c'era un'anta scorrevole dalla quale si intravedeva una stanza da
letto: con un letto a due piazze, una libreria, un
cassettone. Ai piedi del letto c'era un televisore.
Il letto era disfatto.

Con mossa maldestra, Richard tirò su lenzuolo e coperta, nascose un paio di calzini tra i
libri. "Il whisky è sulla scrivania. Vado a prendere il ghiaccio." Il ghiaccio era in cucina, passando dalla camera alla cucina si tolse la giacca
e restò in maniche di camicia. La camicia ciondolava sulle spalle ossute, il torace un po' smilzo.
Giovanna sentì una ventata di tenerezza chiuderle il ventre.

Bevvero il whisky: lei piano piano, come se
non ne avesse bisogno, lui in un sorso solo, come
se volesse farsi coraggio. Entrambi in silenzio. Il
silenzio era interrotto soltanto da un rumore di
passi che pioveva giù dal soffitto: ritmici, calmi,
spietati, quasi che chi camminava aspettasse uno
che tarda ma deve venire. Uno, due. Uno, due.
Uno, due... Richard alzò gli occhi al soffitto, corse
a mettere tre o quattro dischi sopra il grammofono. Poi si tolse le scarpe, si buttò sopra il letto.
Dalla finestra con le tende scostate entrava, ac-
cendendosi e spegnendosi a intervalli precisi, la
reclame azzurra di una insegna del Gordon's Gin.
Giovanna pensò che con quella luce azzurra sul
volto egli sembrava un arcangelo. Degli arcangeli

aveva anche la dolcezza femminea e i capelli un po' lunghi che si arricciavano sulle orecchie e la fronte.

"Ah, che passaggio! Che voce! Ti piace, Giò?"

"Chi è?"

"La Fitzgerald. A me buca il cuore. Ho logorato sei dischi in un anno. Ah! Questa è *Love for Sale*. Poi viene *Night and Day*. E poi *Ace in the Hole*. Ah, divina! Sei triste, Giò?"

"No. Perché?"

"Parli così poco, tu. A monosillabi, a volte. Io invece parlo troppo. Non riesco a star zitto. Mai. Soprattutto quando sono felice. Sei felice, Giò?"

"Sì."

"Io sono tanto felice, in questo momento, da avere paura. Paura di che?, mi dirai. Mah! Non lo so. Di tutto, di nulla. Forse perché mi sembra di avere vent'anni. Cristo! Non suonerà mica l'allarme? Non verranno mica i tedeschi?"

Buttò giù un altro whisky, giulivo. Poi incrociò le mani sotto la testa e guardava il soffitto: come il giorno in cui lei gli era andata accanto, sul letto, e Joseph era chiuso nel bagno.

"Vent'anni, davvero. Quando penso che l'altra sera ero al cocktail e guardavo distratto una ragazza con l'abito d'oro! Chi andava a pensare che quella ragazza era la stessa bambina che mi aveva ceduto il suo letto? Il mondo è ben piccolo! E tu, come sei bella! Dovresti posare per me. Davvero. Avresti dovuto vederti mentre ballavi. Quei negri ti mangiavan con gli occhi. Sai, ho avuto paura quando lo scimmione è venuto a invitarti, ma dopo! Dopo ho avuto addirittura terrore. Pensavo: ora la mangiano. Dio! Ora la mangiano."

Giovanna posò il bicchiere quasi intatto di whisky, sedette cauta sul letto. Lui parlava, parlava, le mani incrociate sotto la testa, come quel giorno: e a lei saliva un tremito su per le gambe, come quel giorno, sulla tempia sinistra le pulsava forte una vena, come quel giorno, e tutto ricominciava dal momento preciso in cui s'era interrotto quel giorno. Gli si accostò ancora un poco, sul letto. Lo guardò dritto negli occhi.

"Richard."

"Oh, ti annoio! Perdonami. Sì, capisco, è un po' tardi. Ora ti riaccompagno in albergo. Ma perché non aspetti ancora un pochino? Un pochino. Vuoi vedere la televisione, magari? L'accendo."

Buttò giù un altro whisky: nervosamente, stavolta. Accese lo schermo dove una ragazza in camicia saltava su un materasso: la reclame della notte.

"Strano, dovrebbe esserci un buon programma a quest'ora. Ma sì, forse hai ragione: sono le due e mezzo, ormai. Vuoi tornare in albergo. Ma no: aspetta, ti prego."

"Richard," disse Giovanna, decisa. "Non voglio vedere la televisione. Non voglio andare in albergo."

Poi gli andò ancor più vicino e tutto accadde come doveva accadere: mentre una ragazza in camicia reclamizzava un materasso, mentre la Fitzgerald cantava *Ace in the Hole*, mentre i bagliori del Gordon's Gin si accendevano e si spegnevano sopra di loro: in una scena da film di terz'ordine. Ora Richard aveva spento la luce e respirava forte come uno che ha fatto una corsa. Lei invece tratteneva il respiro come quando cadevano le bombe dagli aeroplani. Non sentiva piacere, né contentezza, né orrore: sentiva solo un gran sonno, poi una gran noia, poi un gran sonno, e infine sentì un gran male come il giorno in cui il medico l'aveva operata d'otite, con un ferro caldo dentro l'orecchio. E allora aprì gli occhi e sopra i suoi occhi c'erano quelli di Richard: spalancati, disperati, sorpresi. E Richard che si lamentava.

"Oh! I am sorry, sorry, sorry!"

"Ma no, Richard. Perché?"

"Oh, I am sorry, sorry, sorry!" ripeté Richard. Poi si staccò rannicchiandosi dall'altra parte del letto, si coprì con le mani la faccia, si scosse in un gemito. Un gemito che presto divenne singhiozzo e poi pianto. Un pianto desolato, impotente: da bimbo che ha fatto qualcosa di male ma non sa bene perché e teme d'esser punito.

"Ti prego, Richard. Non piangere. Non c'è nulla da piangere. Ti prego, Richard. Dovrei essere io a piangere, no? Guardami, Richard: ti sembra che pianga?"

78

Infatti i suoi occhi erano asciutti e non sentiva nemmeno un groppo alla gola. Non sentiva rimorso, né rimpianto, né senso di sollievo o di colpa. Sentiva soltanto quel dolore là in fondo: insistente ora come un male di denti.

"Perdonami, perdonami, Giò."

"Richard, sii buono. Non posso vedere la gente che piange. Smetti."

Ma non smetteva. E allora si alzò, cercò la vestaglia di lui, la indossò. Accese la luce, chiuse il grammofono, poi il televisore, cercò un fazzoletto e, come una mamma che consola un figlio ammalato, tornò verso di lui, gli scostò le dita dal volto, gli asciugò alla meglio le guance, lo coprì con il lenzuolo, poi con la coperta, gli aggiustò il guanciale sotto il capo, tornò a letto, spense la luce. Lui lasciò fare, in silenzio. Poi agguantò il fazzoletto, lo passò ancora una volta sugli occhi, si soffiò il naso. Poi le appoggiò la testa sopra una spalla, e a lungo rimasero lì, silenziosamente chiedendosi scusa di tutto, mentre la notte sfumava nel chiarore che annuncia il mattino.

All'alba, quando l'insegna del Gordon's Gin smise di lampeggiare, Richard tirò un respirone e si abbatté sul guanciale: stringendo il fazzoletto bagnato tra i denti. Giovanna aspettò che dormisse, scese con precauzione dal letto, raccolse gli abiti ammucchiati per terra e, con le scarpe in mano perché Richard non si svegliasse, uscì dalla casa. Faceva freddo e c'era un poco di vento: un foglio, danzando nell'aria, schiaffeggiò le gote del lattaio che tirò una bestemmia. Un tassista, fermandosi, disse: "Bella nottata, eh, baby?" Lei rispose seccamente: "Park Sheraton Hotel". Dopo pochi metri, però, gli disse di tornare indietro. Lui tornò indietro e lei, senza accorgersi di un volto di donna che la spiava dal secondo piano, guardò insistentemente la casa, l'atrio col leone di pietra.

"Cambiato idea?" chiese il tassista.

"No, grazie. Prosegua."

In albergo, cadde subito addormentata.

* * *

Si svegliò nel pomeriggio: con la confusa sensazione che fosse successo qualcosa ma non ricordava che cosa.

Ricordò l'incidente dell'aria condizionata ma questo non era la cosa.

Ricordò il litigio col barista ma questo non era la cosa.

Ricordò il taxi che la portava da Peter e Martine che strillava "Vi conoscete!" ma questo non era la cosa.

Ricordò le candele del tirassegno e Richard che gridava "Mi hai battuto, mi piace!" ma questo non era la cosa.

Ricordò la scena al Palladium col negro che sibilava "Non vuoi ballare con me?" ma questo non era la cosa.

Ricordò Richard che piangeva sul letto "I am

80

sorry, sorry, sorry!" e, di colpo, le fu chiaro ciò che era successo.

Sentì prima una gran meraviglia, poi un'immensa paura: come se la camera si spalancasse su una voragine nera che la scaraventava dritta all'inferno. Si toccò il ventre per controllare se fosse cambiato: era sempre lo stesso. Si toccò le braccia e le gambe e il resto del corpo come se ogni parte di esso fosse diventata mostruosa: erano sempre le medesime braccia e le medesime gambe e il medesimo corpo. Cercò il dolore fisico che l'aveva disgustata e non lo trovò. Trovò solo una domanda angosciosa: "E ora che fo?"

"Ora nulla," disse a voce alta. "Fo il bagno."

Si alzò per far scorrere l'acqua nel bagno e, mentre attraversava la stanza, vide la lettera.

V

Le valige di Richard erano pronte e il cestino, vicino alla scrivania, era pieno di fogli. Al quindicesimo foglio Richard disse una imprecazione, saltò in piedi e cominciò a camminare su e giù per la stanza. La cameriera aveva spalancato le finestre perché circolasse l'aria, eppure gli sembrava di sentir nella stanza un profumo che non era il solito profumo di lavanda maschile ma un profumo di donna: che lo innervosiva. Passò in camera da letto; il letto era in ordine ma sul grammofono restava il disco della Fitzgerald e il vederlo lo punse. Passò in cucina e i bicchieri stavano in fila, puliti, ma il vederli lo sconcertò. Passò nella stanza da bagno, si fece la barba, ma sulla pelle fiorì una goccia di sangue e di colpo arrossì: coprendosi gli occhi. Povera Giò. Era tremendo far quella cosa: come tirare una pugnalata a un bambino. Quale imbecille può sostenere che è un rito, un momento sacro? È una sporca, dolorosa faccenda: mammy aveva ragione. Finì in fretta la barba, gettò con stizza l'asciugamano, tornò nel soggiorno, cadde a sedere sulla poltrona: gli occhi volti al soffitto. E dal soffitto piovve, come da un rubinetto che perde, il rumore dei passi.

Andavano da una parete all'altra, poi da questa a quella di prima: ritmici, calmi, spietati, quasi che chi camminava aspettasse qualcuno che tarda ma deve venire. Uno, due. Uno, due. Uno, due. Ecco, ora si fermavano ma presto sarebbero ricominciati, e in quell'intervallo gli sembrava di udire un respiro affannoso, il respiro di mammy che attende rigida l'invocazione: "Hallo, mammy!" Succedeva sempre così quando lui era in casa. Per chiamarlo Florence si metteva a camminare su e giù e non smetteva finché lui non aveva risposto. Uno, due. Uno, due. Uno, due. "Hallo, mammy!" "Ah, ci sei figliolo!" Proprio come un guardiano che tiene a bada il suo prigioniero. Richard serrò le mascelle, rabbiosamente. Di solito, quando questo accadeva, lui restava sulla poltrona: le gambe divaricate, i gomiti sopra i braccioli, le mani sopra lo stomaco, a pensare che l'avrebbe fatta aspettare un pochino, ancora un pochino, venti minuti, trenta, quaranta, onde capisse che egli era cresciuto e voleva starsene solo; oppure correva al grammofono e metteva il disco più rumoroso che avesse, alzava il volume finché i passi non si udivano più. Ma poi suonava il telefono e tutto finiva. Gli riusciva difficile non rispondere al telefono. Lo squillo lo esasperava e la voce di lei, così vellutata, gli dava conforto: quanto il fatto che Florence non scendesse mai a guardare ciò che lui faceva, e rispettasse l'accordo.

L'accordo era che nessuno dei due invadesse

il terreno dell'altro e Florence lo rispettava perfino quando bruciava dalla voglia di scendere e le nocche, strette nella morsa delle sue dita, facevano crac. Ma ciò rendeva ancor più drammatica quella schermaglia amorosa che li lasciava sfiniti come dopo un orribile abbraccio, una rinnovata certezza di non poter fare a meno l'uno dell'altra. Come avrebbero potuto, del resto, fare a meno l'uno dell'altra? Per Florence, Richard era una ricchezza da difendere a costo di qualsiasi indegnità. Per Richard, Florence era il simbolo più cupo di ciò che temeva, le donne: ma una donna di cui si poteva fidare, una donna forte, una donna che sapeva difenderlo. Non si perdeva in debolezze come lui e suo padre: quell'uomo triste, umiliato, incapace di comprarsi una cravatta da sé, ignaro di qualsiasi aggressione. Il giorno in cui i ragazzi del Village lo avevano deriso perché parlava coi fiori, suo padre non aveva alzato un dito a difenderlo: ma Florence! Il giorno in cui la maestra gli aveva spiegato che i bambini nascono dalla pancia, suo padre non aveva fatto nulla per consolarlo: ma Florence!

Florence diceva sempre che i bambini li porta il vento: si posano come le foglie sulla finestra, cento per volta, e la mamma sceglie il bambino che le piace di più. La rivelazione della maestra, perciò, lo aveva sconvolto ed era tornato a casa piangendo: ma Florence aveva risposto che la maestra era bugiarda. Che lo urlasse ben forte dinanzi agli altri scolari: "La maestra è bugiarda!" Non lo aveva urlato, s'intende: ma lo aveva confidato a tutti, come un segreto, finché la maestra aveva preteso di parlare con mammy. "Suo figlio manca di qualsiasi realismo. Suo figlio ama gli angeli, signora!" "E lei manca di qualsiasi grazia: faccia la dieta." La maestra era scoppiata a piangere. Quante rivincite, avvertimenti, giornate felici doveva a mammy? D'estate lui e mammy andavano a Coney Island. Partivano con le provviste e mammy guidava l'automobile. Percorrevano il lungo viale bordato di palme, poi scendevano sulla loro spiaggetta privata, e restavano fino al tramonto: ad adorarsi. Il resto della spiaggia scoppiava di gente, bottiglie vuote, panini. Le ragazze in costume da bagno abbracciavano gli uomini seminudi e li baciavano sulla bocca mentre mammy diceva: "Non guardare, è schifoso". Ma in quel fazzoletto di rena tutto era pulito, casto, perfetto. Al tramonto, quando veniva l'ora di tornare a casa, egli piangeva. Al tramonto i baracconi accendevano tutte le luci, le giostre giravano, l'ottovolante sfrecciava in un fracassare di ferro, gli hot-dogs friggevano in un piacevole puzzo di grasso: gli sarebbe piaciuto talmente mescolarsi alla folla e vedere la donna sirena o l'uomo somaro invece di tornare a New York. Mammy invece rispondeva di no, di no, lo portava tutt'al più a Kiddieland dove per ogni bambino c'era un poliziotto finché un giorno lo aveva messo dinanzi alla donna sirena che era orribile, tutta nuda e con la coda al posto delle gambe. Lui era scoppiato in urli mentre Florence diceva: "Hai visto? L'ho fatto per dimostrarti che mammy ha sempre ragione". Ma sì, lo sapeva, era vero, mammy aveva sempre ragione: però questa volta non avrebbe ascoltato i suoi consigli, il suo affetto morboso. Staccò il telefono che cominciava a suonare, agguantò il sedicesimo foglio per scrivere la lettera a Giò. Buttò via anche il sedicesimo foglio. E se una volta tanto avesse rinunciato a scappare? A cosa era servito il suo scappare alla guerra? Nient'altro che a peggiorare le cose... No, non doveva scappare... no, sì...

Aveva diciott'anni, a quel tempo, e papà era morto dopo un litigio con mammy: "Lo rovinerai, ti dico. Lo rovinerai come hai rovinato me: strega!" "Ah, sì? Io ho rovinato te? Io che ti proteggo, ti difendo, ti aiuto?" "Florence, sto male." "Ma sì, stai male. Tanto, cos'altro sai fare, tu, all'infuori della sporca faccenda che chiami rito, momento sacro?" "Florence, sto morendo." "È morto, mammy!" "Ed ora che tuo padre ci ha lasciati cosa faremo, figliolo?" "Ho deciso di arruolarmi, mammy." "Ma c'è la guerra, figliolo." "Appunto, mammy." "Tu non sei fatto per la guerra, figliolo." "Devo andarci lo stesso, mammy."

Sperava che la guerra lo liberasse dall'indifferenza per la morte del padre, dalle debolezze coltivate nella prigione materna: che lo uccidesse. Ma Florence aveva ragione: lui non era fatto per andare alla guerra, nessuna specie di guerra.

I soldati, divertiti dalla sua timidezza, dal suo corpo gracile, si facevano beffe di lui: una sera lo avevano trascinato dentro un bordello dove... L'attesa del combattimento schiantava i suoi nervi: non aveva mai sopportato i rumori né la vista del sangue né il pericolo. Non era mai stato in battaglia prima che lo facessero sbarcare in Sicilia e non immaginava nemmeno quel che sarebbe successo quando, la sera avanti, il generale col sigaro in bocca aveva gridato alla truppa: "Nessun fottuto bastardo ha mai vinto una guerra andando a morire per il suo fottuto paese. Le guerre si son sempre vinte facendo morire altri fottuti bastardi per il loro fottuto paese". Lo aveva esaltato, il generale. Si sentiva audace e deciso mentre la nave solcava il buio: deciso a vivere, deciso ad uccidere. Poi, all'alba, che orrore! Le chiatte da sbarco correvano inesorabili verso la spiaggia di fuoco. Dalla spiaggia le bombe schizzavano in vampate di luce, poi esplodevano in ciuffi di acqua: secche come le risate di mammy. Lì però non c'erano risate di mammy. C'erano urla, e lamenti, e scoppi, e ragazzi come lui, che saltavano decisi nell'acqua e subito cadevano giù: col loro fucile ormai inutile. Un soldato piccolo e biondo gli era caduto proprio davanti, con la faccia affondata nell'acqua come dentro un guanciale, le braccia tese sull'acqua come a invocare pietà. Pietà? Non c'era scampo, o pietà; né in cielo, né in mare, né in terra. In terra i ragazzi cadevano in posizioni sempre più assurde, ruzzolando, inciampando, piegandosi tutti in un grido "Aah!", poi in un allibito silenzio. Dal cielo i paracadutisti scendevano lenti come fogliolini di carta alle parate di Broadway, ma non erano fogliolini di carta, erano vite umane appese a un cencio. A volte scendevano che eran già morti e allora lui li vedeva afflosciarsi con un tonfo sordo. Un morto, due morti, cento morti, mille morti: e ad ogni morto lui si sentiva più vivo, più vivo, perché era toccato al morto e a lui no. Quante ore era durato l'inferno di Gela? Non lo avrebbe mai saputo. Né avrebbe mai saputo se aveva ammazzato qualcuno: sparava a occhi chiusi, a volte gridando per farsi coraggio, e qualcuno, accanto, diceva: "È ubriaco". Era davvero ubriaco: di paura, di esplosioni, di disperazione. Poi, col buio, era stato assai meglio. Gli scoppi s'eran fatti più radi e lui aveva perfino dormito: mezz'ora, nascosto in un buco, gli orecchi sordi ai rumori. Ma poi era ricominciato ad albeggiare, come una maledizione, di nuovo: e lo avevano mandato in pattuglia con Joseph. Era luglio e la Sicilia era un campo di ulivi stroncati, dopo il campo di ulivi c'era un campo di arance che macchiavano il verde come monete d'oro e lui le guardava: assonnato, incantato. Camminavano accanto, lui Joseph e l'altro. Sembrava che tutti gli italiani e i tedeschi se ne fossero andati, e tra le monete d'oro c'era solo quel morto: che era un italiano morto alla mitragliatrice. Aveva un grumo di sangue in mezzo alla fronte, quasi una ciliegia, e sedeva ancora col pollice destro quasi appoggiato al bottone da sparo. È già terribile, vedere un morto che sta lì come un vivo: ma il resto! D'un tratto il morto s'era come scosso in un brivido, era caduto in avanti col pollice sopra il bottone, la mitragliatrice aveva sparato, la raffica aveva tagliato il terzo soldato a metà. Oh, Dio! Lui aveva visto tante cose durante quello sbarco d'inferno: ma non aveva visto un morto che spara ad un vivo e lo taglia a metà. Così s'era messo a gridare, a gridare, a correre, a correre, mentre Joseph lo inseguiva dicendo: "Idiota, stai zitto. Che fai? Dove vai?" E s'eran trovati davanti quei dieci tedeschi.

Il resto era umiliazione, quieto spavento. Era una baracca di prigionieri, un treno che li portava in Germania, Joseph che lo convinceva a buttarsi dal treno, lui che non si voleva buttare ma poi si buttava, giù per la scarpata, rotolando, rotolando con le braccia intorno alla testa per difender la testa, l'uomo che li accompagnava in casa della bella bambina che parlava un buffo inglese: Giovanna. No, non avrebbe sopportato il lungo terrore dentro la casa, il continuo guardare tra le persiane abbassate e l'attesa che i tedeschi arrivassero: se non fosse stato per Giovanna. Joseph non aveva capito la tenerezza che egli provava verso Giovanna: una tenerezza da uomo mai provata per una donna, una gratitudine quasi amorosa. Joseph lo maltrattava, diceva: "Idiota! Non capisci che è innamorata di te?" "Ma Joseph, ha dodici anni!" "A dodici anni si incomincia a sentir quel che sente una donna. Idiota!" Che ne sapeva, lui? Aveva mai avuto una donna fuorché il mostro conosciuto al bordello? E non era una piccola donna colei che aveva abbracciato sul letto quando Joseph s'era tanto indignato? E poi era suonato l'allarme, Joseph lo aveva fatto fuggire, Joseph era morto. Chissà: forse se Joseph non fosse morto, egli sarebbe guarito. Lo insultava come un fratello, lo ascoltava come un confessore. Ma al suo posto, ora, era Bill. Ed a Bill s'era sovrapposta Giovanna. Giò! Lo aveva talmente commosso offrendogli le noccioline al cinematografo. Lo aveva talmente esaltato ballando coi negri. Poi, nemmeno lui avrebbe saputo spiegare come era successo e perché era successo. Sapeva soltanto che per alcuni minuti aveva ritrovato sul letto i gesti di un uomo: facili finché inconsapevoli. E dopo: Dio, che disastro! Disastro? Provvidenza! Uomo o no, nessuna Giovanna avrebbe mai usato la sua debolezza per mettere al mondo un altro Richard. Con dita decise egli agguantò il diciassettesimo foglio e scrisse finalmente la lettera.

La finì che eran le quattro del pomeriggio. E allora la mise in una busta, prese la valigia e la borsa delle macchine fotografiche, restò incerto se telefonare a mammy e a Bill, ma non telefonò. Mammy lo avrebbe trattenuto e Bill avrebbe fatto dell'ironia: "Dick, vuoi dimostrare che riesci a cavartela senza di me?" Chiamò un taxi e cinque minuti dopo entrava nel Park Sheraton Hotel, per lasciare la lettera, ne usciva come un cane inseguito. Alle cinque si dirigeva verso l'aereo e solo quando l'aereo fu sopra le nuvole si sentì veramente al sicuro. Che sciocco a pigliarsela tanto. Sorridendo esaminò le unghie mangiucchiate e l'anello infilato al mignolo destro, dono di Florence, si accese di un vittorioso bagliore. Nello stesso momento, al trentesimo piano del Park Sheraton Hotel, Giovanna leggeva la lettera.

"Giò cara, in tutta la mia vita non ho mai scritto una lettera così difficile né affrontato una situazione così crudele: sicché è molto probabile che questo foglio finisca con gli altri dentro il cestino ed io parta senza averti spiegato il mio rimorso e la mia confusione. Giò cara, ciò che è successo ierinotte è stato perlomeno imprevedibile: io mi chiedo perché sia toccato a me, proprio a me. Dopotutto non ci conoscevamo abbastanza, non ci conosciamo affatto: un mese trascorso nella tua casa quando eri bambina non può essere sufficiente a me per capire chi sei né a te per capire chi sono. Poche ore trascorse insieme a sparare al tirassegno, a vedere un film, a bere whisky non possono servire molto di più. Ed ora io parto: questo incontro non ha nessuna possibilità di svilupparsi in un rapporto serio e durevole, né lo avrebbe se io restassi. Giò cara, per cause che non ti posso spiegare ma che non mi fanno onore, io non sono preparato ad assumere nei tuoi riguardi le responsabilità che dovrei. Per mia disgrazia e per tua ne ho già assunta una gravissima: ma non è la più grave, spero, e di questa posso almeno domandarti perdono. Delle altre non potrei nemmeno domandarti perdono perché significherebbero la tragedia assoluta. Giò cara, quanto sarebbe stato meglio se fossimo rimasti ad ascoltare i dischi della Fitzgerald, se addirittura non ci fossimo ritrovati: perché io sono sceso come Peer Gynt nell'antro delle streghe e vado in cerca di una salvezza che nessuno può darmi. Giò cara, avrei dovuto dirti queste cose stamani, quando sei uscita dalla mia stanza e credevi che dormissi ma non dormivo: tenevo gli occhi chiusi per non indurti a parlare. Parlare avrebbe significato discutere ed io non voglio discutere. Voglio solo pregarti di credermi quando giuro che sono commosso da te e dalla colpa che abbiamo insieme diviso. Tuo Richard.

"P.S. Ti consiglierei di andare da un medico o da una donna medico. Io sarò al Plaza Hotel di San Francisco. Fino a quando, non so."

* * *

Non c'era nemmeno una cancellatura in questa lettera: una correzione, un errore. Una ragazza indecisa tra il cinismo e l'ingenuità non avrebbe potuto trovare vittima e carnefice più pericoloso, chiunque altra non avrebbe esitato a capirlo e a ritirarsi in buon ordine. Ma con l'ottimismo di quelle creature che non si arrendono nemmeno dinanzi alla sconfitta evidente e dopo ogni sconfitta rialzano il capo ciecamente pensando che poteva accadere di peggio e non tutto è perduto, Giovanna non volle capire: tantomeno ritirarsi in buon ordine.

Una prima, rapida scorsa le aveva fatto intuire d'essere stata messa alla porta. Una seconda lettura, più attenta, le aveva fatto comprendere quale lotta avesse sostenuto Richard per indurre se stesso a comporre una simile lettera. Un terzo esame, accuratissimo, le rivelò ciò che nella lettera non c'era ma avrebbe desiderato ci fosse. Così non condannò il grottesco consiglio a recarsi da un medico, né decifrò le allusioni alle streghe. Pensò solo che, se Richard forniva l'indirizzo di San Francisco, ciò equivaleva a un invito a raggiungerlo, o scrivergli. Ma a quale dei due mezzi ricorrere? Naturalmente non poteva raggiungerlo a San Francisco: con Gomez alle calcagna, sarebbe stato impossibile. Quindi gli avrebbe risposto. E, in completa malafede, mise insieme la seguente trappola.

"Mio caro Peer Gynt, la tua lettera potrebbe intitolarsi: 'Come Disfarsi di una Ragazza Imbarazzante': grazie per essere stato così gentile e sincero. Tuttavia hai torto a domandarmi perdono e a temere responsabilità. Se responsabilità esiste, essa è mia: e non coinvolge necessariamente anche te. Hai torto a parlare di colpa: colpa di che? Hai torto a meravigliarti di ciò che è successo. Io so poco di te, è vero. Tu sai poco di me, è vero. Ma tralasciando il ricordo che ci legava, il particolare che non siamo mai stati due estranei, non credo che sia necessario conoscere l'indirizzo e i peccati reciproci per sentire ciò che entrambi abbiamo sentito ierisera rivedendoci. C'è spesso, nella vita, una sorta di fatalità. E questa fatalità, non noi, ha determinato ciò che doveva accadere. È accaduto troppo in fretta? Può darsi. Ma le cose importanti come nascere amare e morire non guardano il tempo dell'orologio, mio caro Peer Gynt. Ed è in tale fiducia che io aspetterò il tuo ritorno: ringraziandoti se avviene, comprendendoti se non avviene. Se non avviene, permettimi di dire la cosa più importante: non preoccuparti per le streghe, di qualsiasi genere esse siano. Il dramma più umano nella storia di Peer Gynt si svolge quando egli scende nell'antro delle streghe e riesce a liberarsene. Dev'esserci in me la stoffa di Solvejg: le streghe non mi spaventano, anch'esse hanno il diritto di vivere. Amichevolmente, tua Giò.

"P.S. Non ho bisogno di medici. Non mi sono mai sentita così bene."

Chiuse la lettera, uscì nel corridoio per imbucarla nel canale pneumatico ripetendo i medesimi gesti di quando aveva scritto a Francesco, si accinse con apparente indifferenza ad aspettare lo sviluppo della situazione. Poteva anche darsi che Richard si avvicinasse come un topo alla trappola e mangiasse il formaggio. Se poi non lo mangiava, pazienza: Richard sarebbe rimasto nella sua vita come il romantico strumento che l'aveva liberata di un dente noioso, la sua defunta verginità. Prima o poi la cosa doveva pur avvenire: in questo senso gli doveva perfin gratitudine. Via, non era un'autentica donna ormai? E con gesti nuovi fece scorrere l'acqua nel bagno, si tuffò, accarezzò il piacere di sentirsi pulita sotto il sapone. Non c'è niente di meglio che una buona saponata per lavarsi di troppe emozioni: lo diceva anche Francesco. Allora ricordò che Francesco esisteva, la sicurezza svanì. Spalancò la bocca, guardò l'acqua come uno che affoga, e quasi cadde sul bordo freddo, smaltato di bianco.

"Domani," disse riprendendosi subito, "mi trasferisco da Martine."

VI

La casa di Martine era una villetta a tre piani in Washington Square: col tetto di ardesia, la facciata coperta di edera, e il prezzo eccessivo di un oggetto di antiquariato. Vi si accedeva per una porticina a vetri, laccata di bianco e protetta da tendine di organza, poi per un corridoio saturo di *Jolie Madame* che Martine spruzzava ogni giorno come il DDT. Accanto alla soglia c'era un impianto di allarme che suonava tutte le volte che la porta si apriva: sicché la cameriera doveva subito sollevare il microfono ed avvertire la polizia pronta ad accorrere di non scomodarsi, era entrata la padrona di casa o un amico. Martine, sempre afflitta dal terrore d'essere derubata o uccisa, aveva fatto installare quello strumento in complicità con un tale dell'FBI, ed esso era l'unico neo nell'esasperata sofistication di un luogo dove non esisteva nulla di sbagliato: né un posacenere, né una moquette, né il velluto color foglia morta che fasciava la ringhiera della scala interna.

Per quella scala si saliva al primo piano dov'erano la stanza da pranzo e il soggiorno, entrambi pieni di quadri ninnoli specchi che Martine aveva portato dall'Europa insieme alla sua

96

svagata follia, poi al secondo ·piano dove c'erano la camera sua e quella dell'ex: occupata da Giovanna. Le camere erano separate da un boudoir e guardavano su Washington Square: coi platani, le panchine, il busto di Garibaldi, la chiesa cattolica, i ragazzi in blue jeans, il vecchio bar frequentato dagli omosessuali, le indossatrici ammalate di cerebralismo, i beatniks, e con un nome francese, Monocle. "Anche la cultura ha i suoi diritti, n'est-ce pas? E poi, chérie, io non posso sopportare la East Side, gli ascensori. L'unica cosa che può farmi rompere con Bill è che abita al diciottesimo piano e nella East Side."

Giovanna detestava i clienti del Monocle, la falsa disinvoltura del Village: di New York preferiva, ostinatamente, i solidi grattacieli di vetro, i veloci ascensori. Ma la casa di Martine offriva il vantaggio di distare solo tre blocchi da quella di Richard e Martine, come ospite, era perfetta. Distribuiva attenzioni, ascoltava qualsiasi lamento, restituiva il buonumore solo esclamando: "Christian Dior!": il suo modo di tradurre l'imprecazione "Cristo di Dio". Perfino quando aveva saputo di Richard s'era limitata ad esclamare "Christian Dior!", poi a suggerire un viaggetto. "Mi hanno invitato a un garden party nel New England: vieni con me, mon petit chou. Conoscerai decine di Richard da non buttar via."

"Grazie, Martine.. Preferisco restare a New

York: nel caso che torni e mi chiami."

"Tanto non ti trova lo stesso, se chiama. Per il signorino sei ancora al Park Sheraton."

"Ho distribuito mance ai portieri perché gli diano il mio nuovo numero."

"Peggio per te: ognuno è padrone d'essere fesso. Però togliti da quel telefono, per carità! Mi fai venir voglia di diventare una suoneria e fare drin drin."

"Lo stavo spolverando, Martine."

"Christian Dior! C'è la cameriera per questo. Ma insomma, Giò, dove sono finite le tue belle considerazioni sul dente noioso che dovevi pur toglierti?"

"Ho cambiato idea."

"Perdonala, San Luca, perdonala!"

"Sta' zitta, Martine!"

Erano passati ormai quattro giorni da quando aveva spedito la lettera, pensava Giovanna, e la situazione doveva risolversi in un modo o nell'altro entro le prossime quarantott'ore. Meglio non rischiare in viaggetti e restare sola a New York. Appena Martine fu partita tutta festosa per il suo garden party, tornò a sfogliare riviste accanto al telefono e, quando questo suonò, la sua mano sollevò velocissima il ricevitore.

"Ciao, Giò. Ti ricordi di me? Sono Bill."

"Ah! Certo!...: Ci siamo conosciuti l'altra sera da Peter. Martine non c'è. Sta viaggiando verso il New England."

"Non ho chiamato Martine. Ho chiamato te. Posso vederti?"

"Se vuoi."

"Sono al Monocle, a bere un whisky. Hai voglia di scendere?"

"Veramente... Sì, certo."

Raccomandò alla cameriera di chiamarla subito nel caso che il signor Baline telefonasse, scese le scale chiedendosi per quale ragione Bill l'avesse cercata proprio in assenza di Martine. Cercò di ricordare, senza riuscirvi, com'era fatto Bill. Pensò che, di sicuro, non lo avrebbe neanche riconosciuto: la presentazione era stata troppo frettolosa ed in seguito non aveva avuto occhi che per Richard. Lo riconobbe prima che lui si voltasse.

Bill sedeva su uno sgabello del bar, deliberatamente voltando le spalle alla porta, e beveva reggendo il bicchiere di whisky tra il pollice e il mignolo della mano sinistra: il pollice sul bordo del bicchiere e il mignolo sul fondo. Indossava un abito scuro, di taglio perfetto, ed aveva la nuca spruzzata d'argento. Quando lei entrò si voltò con studiata lentezza, con studiata lentezza si alzò, emerse dalla penombra offrendo lo spettacolo di una roccia dal volto grave, irritante, appena indurito dalle rughe di una maturità già avanzata, appena alleggerito dai baffi odiosi. Ogni cosa in Bill provocava, infatti, rispetto ed antipatia al solo guardarlo: la statura eccessiva, le spalle robuste, la bocca sdegnosa, infine l'autorità con cui si muoveva e diceva le cose: quasi che niente e nessuno contasse all'infuori di lui. Aveva l'aria di un uomo che non si è mai messo in ginocchio e, tanto Richard appariva facile a rompersi, tanto Bill appariva indistruttibile: il simbolo stesso di un'America orgogliosa dei suoi grattacieli, delle sue mastodontiche zucche, del suo popolo gonfio di vitamine e di sangue.

"Salve, Giò. Posso chiamarti Giò, suppongo: abbiamo alcuni affetti in comune."

"Salve, Bill."

Giovanna si arrampicò su uno sgabello e sostenne, da pari a pari, lo sguardo di quegli occhi spietati, che scrutavano di sotto le palpebre semichiuse ed esaminavano ogni segreto di chi gli stava di fronte.

"Che piacere, vederti. Abbiamo avuto così poco tempo per diventare amici dopo il tuo travolgente incontro con Dick. Travolgente, no? Vi siete dimenticati perfino di raggiungere Martine e me a El Morocco."

"Non ci vedevamo da quattordici anni ed io lo credevo morto. Incredibile, no?"

"Affatto. Le cose che accadono non sono mai incredibili dal momento che accadono. La realtà, mia cara, supera sempre la fantasia. Quando scrivo io seguo sempre questa regola: raccontare personaggi e situazioni reali, mai cedere all'invenzione. E dove siete stati? Se non sono indiscreto, s'intende."

"Qua e là, come i turisti. Al cinema, sul ferryboat, a sparare."

Di colpo arrossì e si odiò per avere arrossito. Non le succedeva, del resto, da moltissimo tempo. Bill finse di non averlo notato e le ordinò un whisky con un breve movimento dell'indice.

"Oh, sì: New York di notte. Dick la adora. Dick è come un bambino: si diverte con nulla, salvo cadere subito dopo in depressioni apocalittiche. Conosci quella frase di Camus? 'Quanto è duro, quanto è amaro diventare un uomo!' Sembra scritta per Dick. Infatti non diventerà mai un uomo: la fatica di crescere gli è intollerabile."

"Non lo conosco abbastanza."

"Io lo conobbi dopo la guerra: a guardarlo si sarebbe detto che l'avevamo perduta. Che mi abbia interessato per questo? Solleticava, come dire?, i miei peggiori istinti paterni. Ad esempio, il suo piangere. Tu piangi, Giò? No, non direi. I tuoi occhi sono intatti. Intatti e bellissimi. Dick ti ha detto che hai bellissimi occhi? Ci si può innamorare di questi occhi, davvero."

Aveva allungato una mano e le sfiorava le palpebre. Giovanna si stupì di non provare fastidio ma un indefinito piacere: eh, sì, Martine aveva ragione. L'uomo aveva del fascino. Contemporaneamente, però, sentì tornare l'antipatia e allora si chiese come faceva Martine a sostenere che erano fatti per andare d'accordo.

"Martine sostiene che siamo fatti per andare

101

d'accordo," continuò Bill. "Dice che tutti e due siamo forti ma non sappiamo resistere alla dolcezza, soprattutto alla dolcezza per chi ha bisogno di noi. Chissà che Martine non abbia ragione. Uno splendido accordo oppure..." i baffetti vibrarono, "...un atroce conflitto."

Giovanna buttò giù quasi tutto il whisky e non rispose.

"A proposito, Giò. Sai dov'è Dick? Lo cerco da quattro giorni. Sparito. Complimenti, sai bere."

Giovanna tirò giù un altro sorso, per prendere tempo. Poi scosse le spalle.

"Non lo so."

"Avrei giurato che tu lo sapessi. Ti disse che doveva partire?"

"No."

"Sono preoccupato per lui. Dick è così strano: non bisognerebbe mai lasciarlo solo. Sai, il tipico rappresentante di una generazione priva di dèi. Non è cattolico, non è ebreo, non è marxista. Non crede neppure nel denaro e nel successo. Vive in totale anarchia ma l'anarchia richiede autosufficienza: ciò che Dick non ha. Ne convieni?"

"Forse."

"Non si può dire che tu sia una donna ciarliera. D'altra parte, odio le donne che esasperano coi loro discorsi, come Martine. Figurati che una sera mi ha illustrato per due ore l'esercizio della tua virtù. A ciò aggiungi che Martine, quando è sbronza, balbetta. Un incubo: vi-virtù. Vi-vi. Vi-vi. Infine esclamai: sì, Martine, vivo. Ma se continui, mi fai morire. Sorry: non ti faccio ridere, vero?"

"Al contrario. Era molto divertente."

"Bugiarda. Non ci trovi nulla di divertente. Non puoi divertirti. Sei troppo nervosa."

Lo era. Alle cinque del pomeriggio la cameriera scendeva al drugstore: il telefono sarebbe rimasto incustodito. Scese di colpo dallo sgabello.

"Scusami, Bill. Ora devo rientrare."

"Capisco, finiamo il whisky. Dopo, posso salire con te? Oggi non ho voglia di scrivere e soffro di solitudine: perciò ti ho chiamato. Sai, gli americani temono soprattutto due cose: la solitudine e il silenzio. Quando odono il silenzio si mettono un dito dentro gli orecchi per controllare di non essere sordi, oppure accendono la radio. La radio è il loro ossigeno. Hai visto? Anche quando escono di casa si portano dietro la radio: transistor. Ieri m'è capitata una scena che andrebbe bene per il tuo film: marito e moglie che camminavano a braccetto nel parco, ciascuno dei due tenendo la propria transistor agli orecchi."

"Parli come se tu odiassi l'America," disse Giovanna. E si affrettò verso la porta.

"Oh, no. La amo invece. Come amo la gente infelice."

"Martine ti sembra infelice?"

"Non ho detto che amo Martine."

Attraversarono la strada: due ragazze coi libri sottobraccio si girarono a guardar Bill ed emisero un fischio di ammirazione che lui non raccolse. Lui camminava piano e lei in fretta. Allo spalancare della porta il dispositivo di allarme suonò senza che la cameriera avvertisse la polizia di non scomodarsi. La cameriera era uscita. "Cretina!" sibilò, inferocita, Giovanna. Poi, ancora più inferocita, sollevò il microfono: "Tutto bene, grazie". Infine salì nel soggiorno e sedette vicino al telefono. Anche Bill sedette vicino al telefono.

"Perché non ti accomodi su quella poltrona, Bill? È più comoda."

"Qui va benissimo, grazie."

"Ma no! Stai più comodo sulla poltrona."

"Sto bene qui, ti dico."

Si fissarono in silenzio: lei seria, lui ridente. Poi Bill cominciò a giocare con il telefono. Alzava il ricevitore e lo abbassava. Quando lo alzava lo teneva all'orecchio qualche secondo, quasi si divertisse ad ascoltarne il rumore, e fintanto questo durava Giovanna sentiva come uno strappo. Lentamente, inesorabilmente, l'antipatia si centuplicava insieme a qualcosa che non avrebbe saputo definire. Una voglia di litigare, certo: ma allo stesso tempo una voglia di ascoltare la sua voce fonda, piacevole. Una voglia di cacciarlo, certo: ma allo stesso tempo una voglia di averlo lì, di saperne di più. Bill era un uomo così misterioso nella sua chiarezza. La stuzzicava anche dicendo cose sgradevoli. Se solo avesse lasciato stare il telefono! Prese tempo.

"Bill, mi dispiace che tu non ami Martine."

"Perché?"

"Martine ha tutta l'aria di amarti."

"Martine non ama nessuno: nemmeno se stessa. Perché non scrivi un soggetto su Martine? È divertente, imprevedibile, si muove in un mondo umoristico: e le storie umoristiche piacciono molto in quest'epoca senza apparenti tragedie."

Continuò a giocare con il telefono. Giovanna tentò di distrarlo.

"Ancora whisky?"

"No, grazie. Preferirei una tazza di tè."

"Tè?!"

Lo fissò con odio: per fare il tè doveva scendere in cucina. Si divertiva davvero a staccarla dal telefono? E perché? Si alzò a malincuore, scese in cucina, riempì la teiera con l'acqua tiepida della cannella, sistemò precipitosamente la tazza e lo zucchero sopra il vassoio, tornò: a subire la sua occhiata ironica.

"Velocissima."

"Sistema americano."

Versò il tè nella tazza: malignamente pregustando la smorfia di Bill. Bill bevve senza far smorfie.

"Ti piace?!"

"Ottimo."

"Voi americani! Pur di bere, siete capaci di inghiottire anche una tazza di pessimo tè."

"Queste banalità sono indegne di te, Giò cara."

"Banalità?"

"Appunto. Voi europei usate sempre banalità offensive su noi americani. Ci giudicate ottusi, bonaccioni, usi a imbottirci di whisky, comunque di liquidi. Come unica scoperta ci attribuite lo chewingum, forse il jukebox. Non ci prendete sul serio nemmeno se vinciamo le guerre che voi avete scatenato. Venite qui, vi esaltate, poi vi indignate, e scrivete saggi contro di noi, libri contro di noi, barzellette contro di noi. E non capite nulla di noi. Gradiremmo, se non la vostra comprensione, almeno la rinuncia al vostro perpetuo disprezzo."

Depose la tazza di tè, tirò fuori la pipa, la caricò lentamente, riprese a giocare con il telefono: con un misterioso sorriso. Lei alzò la testa, di scatto.

"Senti, Bill. Nessuno ha parlato di disprezzo, né con disprezzo. Sei stato tu a tirar fuori la storia delle transistor appicciate agli orecchi. Mi sbaglio o tra noi due il più nervoso sei tu? Io amo l'America. Amo la sua cordialità, la sua efficienza, la sua supercivilizzazione. Sento di appartenere più a questo paese che a quello dove son nata. Che altro vuoi? E lascia stare il telefono, perdio!"

"O là là! Dunque sai anche parlare, non sei così avara di parole. E sai anche arrabbiarti, non sei così calma. Interessante! Ti meriti che non tocchi il telefono."

Depose il ricevitore con delicatezza: un sorriso ancora più misterioso.

"Quanto al tuo amore per l'America, è troppo presto per prenderlo in considerazione. I colpi di fulmine non annunciano mai grandi amori o amori durevoli. Gli amori veri fioriscono dall'indifferenza o dall'odio. Imparerai ben presto che la nostra cordialità è difesa, la nostra efficienza è paura, la nostra supercivilizzazione è solo supermeccanizzazione. Ma quando questo accadrà ti accorgerai anche che l'America ti è entrata nel sangue come un veleno per cui non esiste un controveleno. Noi siamo una malattia inesorabile, Giò, e non c'è altra medicina per sopravvivere fuorché quella che noi abbiamo inventato: far soccombere i deboli per salvare i più forti, uccidere gli altri per vivere noi. Non c'è posto, tra noi, per l'amore e per la pietà. O me, o te: questa è la legge che ci governa. Se non ci credi, fatti raccontare da Dick cos'è l'uragano in America. Nessuno come Dick sa raccontare cos'è l'uragano in America."

Giovanna si alzò, infastidita.

"Bill, io devo lavorare."

"Non essere sciocca, Giò. Sto dicendoti qualcosa di serio. Non puoi affrontare a cuor leggero questo paese e la gente di questo paese. Devi prima capire la legge."

"Bill, io devo lavorare."

"E va bene. Peggio per te."

Si alzò, le andò vicino, le accomodò un ricciolo che le cadeva spesso sugli occhi. Lei si scostò, come punta.

"Bill, io devo lavorare."

"Ma sì, me ne vado." Un vibrar di baffetti. "Lo vedi, Giò, come gira male il mondo? Un uomo e una donna destinati ad andare d'accordo si incontrano, in un pomeriggio d'attesa. Parlano, bevono, poi salgono in una casa accogliente la cui proprietaria ha avuto il buongusto di andarsene e la cui cameriera ha avuto il buonsenso di lasciar libera; dimenticando perfino di custodire il telefono. L'uomo e la donna hanno buoni motivi per detestarsi, tuttavia è evidente che non si dispiacciono. Lei si scosta come punta da lui se lui le accomoda un ricciolo e lui le accomoda volentieri quel ricciolo. Conclusione? Potrebbero passare piacevolmente quel tempo: andando l'uno alla scoperta dell'altro o, che so io?, facendo l'amore..."

Si abbottonò la giacchetta, spense la pipa rovesciando il tabacco nel posacenere vicino al telefono, e ridacchiò in modo ambiguo: difficile indovinare se si divertisse o parlasse con convinzione.

"Non che metta conto, intendiamoci, fare l'amore: il brivido di un minuto che è il medesimo sia tu vada con una sgualdrina, sia tu vada con la donna che adori. E per quel brivido, quanto spreco di sentimenti, quanti legami, quanta ansia prima, quanta noia dopo. Comunque, visto che il Padreterno non ha inventato nulla di meglio, potevamo provare. E invece lei dice: vattene, caro, lavoro. E lui se ne va. Lui è americano, rispetta il lavoro. Chi lavora ha successo. Lui è americano, rispetta il successo. Eh, sì, cara Giò. Oggigiorno tutti parlano di -sesso ma ne parlano e basta. Stiamo diventando ermafroditi come le lumache. Lo sai, no?, qual è il privilegio di quelle fortunate creature: contengono in sé gli organi necessari a riprodursi senza contatti d'amore. Prima o poi anche gli uomini e le donne si riprodurranno senza contatti d'amore: dalle lumache ci distingue una sola differenza, corriamo di più. Ma dove corriamo? In ufficio, a teatro, ovunque ci aspetti il successo: siamo pronti a vendere la nostra vita per un po' di successo. Ecco un soggetto che nessuno ti comprerà mai: La Corsa al Successo delle Lumache."

Suonò il telefono.

Entrambi tesero svelti la mano ma Bill fu più svelto ed acchiappò il ricevitore portandolo al cuore, beffardo.

"Dammelo, Bill."

"Hallo? Yes."

"Dammelo, Bill!"

"Hallo? Hallo?"

"Bill! Dammelo, ho detto! Chi è?"

Con forza, Bill tenne il ricevitore che Giovanna tentava di afferrare.

"È la cameriera, Giò. Solo la cameriera. Vuol sapere se deve comprare lo yogurth. Deve comprare lo yogurth?"

Giovanna non rispose.

"Niente yogurth," disse Bill. Poi depose il ricevitore. Si avviò verso la porta.

"Ciao, mia graziosa lumachetta: questa attesa diventa ridicola. Me ne vado davvero. E, se Dick chiama, salutalo da parte mia. Hai portato a letto Dick, vero? Ma sì: te lo leggo negli occhi. E poi lo hai fatto scappare, vero? Ma sì: te lo leggo negli occhi. E se tu non fossi così virtuosa o rientrasse nei tuoi romantici piani porteresti a letto anche me, vero? Altro che lumachetta: sei una medusa. Una graziosa medusa che brucia chi si avvicina."

"Vai all'infernooo!" gridò Giovanna. E con una pedata chiuse la porta.

Ermafroditismo, lumache, meduse! E lei che lo ascoltava a bocca aperta! Lei che se lo beveva con gli occhi! Schifoso! Come si permetteva di prenderla in giro, ficcare il naso nelle sue faccende, insultarla, forse insidiarla? Che rabbia! Solo a pensarci le veniva una fame terribile. Così scese in cucina, si preparò un bel sandwich e lo divorò. Poi aprì una bottiglia di champagne che Martine riservava per le grandi occasioni e ne bevve metà. Infine salì in camera, sedette alla scrivania, mise un foglio nella macchina da scrivere. "Caro commendatore, si ricorda di Martine? Bene: incontrando Martine, qui a New York, m'è venuta un'idea. Costruire il personaggio femminile intorno a un tipo come Martine. È divertente, imprevedibile, si muove in un

110

mondo umoristico. Le storie umoristiche piacciono in quest'epoca senza apparenti tragedie..."

La notte dormì malissimo. Sognò le lunghe estati noiose di quand'era bambina, le onde che si rompevano in cilindri bianchi come lumache, il mare che srotolava sulla spiaggia un tappeto trasparente di meduse. All'alba il bagnino arrivava con un'asse di legno, alzava l'asse come una sciabola e con un tonfo sordo tagliava in due le meduse ancora vive. Poi il bagnino usava l'asse a mo' di cucchiaio, prendeva quella pappa di gelatina, la rovesciava in un bussolotto che avrebbe seppellito lontano, dentro la sabbia. Lo chiamava il funerale delle meduse e lei lo seguiva, compunta, perché le sembrava che anche le meduse avessero diritto a un po' di corteo prima d'essere sepolte. Poi, mentre il bagnino scavava la fossa, lei stava lì: a guardare ed a farsi domande. Si chiedeva se le meduse soffrissero ad affogare nell'aria: saltare fuori dell'acqua doveva essere per loro come affogare nell'aria. Si chiedeva se le meduse sentissero male quando il bagnino le sciabolava. E un giorno volle provare. Afferrò l'asse, che era pesante, la alzò fin sopra la testa, la vibrò sopra una medusa che dava un ultimo sciaguattare di vita. Ma tutto quello che accadde fu un fiotto d'acqua silenziosa.

VII

Due giorni dopo Richard tornò a New York: la trappola era scattata, sia pure con qualche difetto. Quando la sua sagoma secca apparve tra i passeggeri di San Francisco, un'ombra imponente si mosse e gli andò incontro con familiare lentezza. Era Bill.

"Dimenticato qualcosa?"

"Perché?"

"Partenza improvvisa, ritorno improvviso. Il tuo telegramma è riuscito a stupirmi."

"Niente. Un lavoro."

"E quest'aria affranta?"

"Niente. Un lavoro andato a male."

Già pentito di avergli mandato quel telegramma, Richard sembrava tutt'altro che disposto a giustificarsi o a parlare. Il suo volto era stanco, le sue palpebre gonfie come quelle di chi non riesce da molte notti a dormire, uscendo dall'aeroporto inciampò. Eppure ostentava un'espressione insolitamente decisa, virile: l'espressione di un uomo che ha deciso d'essere tale e non vuole chiedere aiuto a nessuno.

Taceva: inducendo a tacere anche Bill. E non ruppe il silenzio nemmeno quando la macchina rossa di Bill imboccò il Queen's tunnel per sbucare in città. Di regola, il tunnel era pericoloso ai suoi nervi. Gli appariva un incubo giallo, senza principio né fine, con un impiccato che lo fissava a intervalli dal muro lucido di mattonelle: così si metteva a parlare, a parlare. Quel giorno invece il tunnel gli apparve per quello che era: un corridoio con un principio e una fine, un poliziotto ogni cento metri per dirigere il traffico.

"Ho visto la tua piccola amica italiana," disse Bill, gettandogli un'occhiata inquisitrice.

"Ah, sì?"

"Le ho chiesto se sapeva dov'eri. Ha risposto di no. Lo sapeva?"

"No."

"Strana ragazza. A suo modo incantevole. Parla poco ed ha bellissimi occhi. Diventa feroce quando si arrabbia."

"Ah, sì?"

"Mi ha mandato all'inferno. Mi piacerebbe se uscissimo una sera con lei per ristabilire i rapporti."

"O. K."

Richard annuì in tono distratto, poi ricadde il silenzio: non interrotto da Bill fino al momento in cui giunsero dinanzi al portone di Richard.

"Dunque, Dick. Mi offri un whisky?"

"Mi dispiace, Bill. Sono esausto."

"Lo vedo, mio caro. Rilassati, ora."

Malgrado la faccia infastidita, Bill si mostrava comprensivo, paziente.

"Va bene, Bill. Ciao. E grazie d'esser venuto."

113

"Ciao, passo a prenderti verso le sette. Ho preso due posti a teatro per festeggiare il ritorno. Sai, quel musical nuovo: *Giamaica*. La Horne è eccellente. Montalban mica male."

"Mi dispiace, Bill. Stasera ho daffare."

"Avanti, Dick. Non ho voglia di vedere Martine."

"Ma sì, vai con Martine."

"Come vuole, madame."

Bill scaricò le valige e le labbra gli tremavano d'ira sotto i baffetti. Mentre apriva lo sportello dell'automobile sembrò sul punto di dire qualcosa. Invece partì senza aggiungere altro. Richard non si girò nemmeno a guardarlo.

Si sentiva come un malato che ha voluto fare una partita di boxe ed è caduto al tappeto prima di potersi difendere. La valigia era talmente pesante: come avrebbe fatto a trascinarla per le scale da solo? La trascinò un poco alla volta, ansimando, e dinanzi all'uscio smaltato di verde esitò, aprì con la cautela di un assassino che torna sul luogo del delitto. Poi entrò e sudava talmente che corse nel bagno a lavarsi la faccia. Nel bagno, l'asciugamano che aveva gettato con stizza giaceva ancora per terra. Lo raccolse con dita incerte e si guardò nello specchio. Lo specchio rifletté un volto che dimostrava tutti i suoi trentaquattro anni. Ciò gli dette forza, gli impose calma. Quando il telefono squillò, rispose senza precipitarsi.

"Sei tornato, figliolo. È successo qualcosa, figliolo?"

"No, mammy. Va tutto bene."

"Nemmeno una lettera, figliolo: solo quel telegramma. Sai quanto simili cose mi faccian soffrire."

"Non ho avuto tempo, mammy."

"Partisti senza salutarmi, figliolo."

"Era tardi, mammy. Perdevo l'aereo."

"Però non mi avevi detto che saresti partito."

"Perché avrei dovuto dirtelo, mammy?"

"Richard!"

"Non cominciare, mammy."

"Bill è con te, figliolo?"

"No, mammy."

"Sai che ti dico, figliolo? Che Bill perde troppo tempo dietro quella Martine."

"Fa benissimo, mammy."

"Sei impazzito, figliolo? Quella è il tipo che lo stacca dalla famiglia, dagli amici, da tutti. La classica divoratrice di uomini."

"Bill non ha famiglia, mammy."

"Ha te, figliolo."

"Mammy, stai dicendo un mucchio di inutilità e mi stai infastidendo. Vorrei pregarti, d'ora innanzi, di occuparti delle tue dannate faccende e di non ficcare il naso nelle mie. Intesi? E piantala di camminare su e giù: tanto non salgo. Piantala di telefonarmi: tanto non ti ascolto. Sono adulto, vaccinato, e pago le tasse. Voglio sbagliare da me. Hai capito, mammy?!"

115

Depose con un còlpo secco il ricevitore e ora si sentiva come la notte in cui il generale col sigaro in bocca aveva eccitato la truppa che doveva sbarcare sulla spiaggia di Gela: deciso a vivere, perfino ad uccidere. Avrebbe visto Giovanna, le avrebbe detto tutto, le avrebbe chiesto la complicità necessaria a salvarsi. Giovanna avrebbe capito: non aveva scritto che le streghe non la preoccupavano? Dalla seconda battaglia della sua vita sarebbe sorto un nuovo Richard: capace di rinunciare alla libertà condizionata di mammy, capace di dire a Bill: "Posso fare a meno di te". Oh, dio! E da che parte avrebbe incominciato il discorso? Sciocchezze: a questo avrebbe pensato più tardi. Intanto la portava a teatro. Fischiettando compose il numero del Winter Garden, chiese due buoni posti in platea che ottenne senza fatica: "Per lei sempre, signor Baline". Poi chiamò il Park Sheraton e il fischiettare morì.

"È partita, signore."

"Partita? Come?! È impossibile!"

"Un momento, signore. Abbiamo qui il nuovo numero."

"Oh! Grazie!"

Dovette farselo ripetere due volte e lo scrisse con molti sgorbi perché gli tremavano le dita. Gli tremavano ancora quando compose il numero di Martine. E dal soffitto cominciò a piovere il rumore dei passi.

* * *

"Ha telefonato, Martine! Ha telefonato!"

Martine, ancora vestita da viaggio, stava spruzzando la casa di *Jolie Madame*. Continuò a spruzzare e alzò un sopracciglio.

"Se ti fa tanto piacere."

"E mi ha invitata a teatro."

"Che originalità. Vado anch'io a teatro, stasera. Bill ha preso i biglietti per *Giamaica*. Qualcosa in lui comincia a non piacermi ma ha talmente insistito. A proposito: cosa voleva da te, l'altro giorno?"

"Nulla... Si annoiava, voleva parlare."

"Di che?"

"Alta filosofia. Mi ha spiegato alcuni misteri del cosmo. Oh, Martine! Non è straordinario che Richard sia tornato?"

"Vai piuttosto dal parrucchiere a farti lavare i capelli. Sembrano spinaci senza clorofilla. Non lo dico per quel fagiolino di Dick, s'intende. Lo dico per gli altri. Ti dirò: gli uomini sono come i gioielli. Costano cari ed è difficile averli. Ma se sei furba, puoi sempre metterne al dito qualcuno. E allora devi stare attenta a non perderlo."

"E smettila di fare la cinica, Martine."

"Non sono cinica. Adoro i gioielli e anche gli uomini: quelli veri, s'intende. A proposito, dove ti porta il tuo Richard dopo il teatro? In quel solito posto di mezze sottane?"

117

"Se alludi al Monocle, ci sono stata solo una volta: con Bill, non con Richard. Martine, mi presti l'abito bianco?"

"Piglia quel che ti pare."

"Martine, mi sta bene?"

"Come no? Sembri una vergine al primo appuntamento."

"Se credi di smontarmi, ti sbagli," disse Giovanna precipitandosi dal parrucchiere e mai pomeriggio fu così lungo: le sette non venivano mai. Alle sei e mezzo era già per strada e diceva all'autista di correre. Alle sette meno un quarto era già sul marciapiede del Winter Garden, ad aspettare Richard: e si toccava i capelli che non stavano bene, il vestito che era un po' troppo largo, le ciglia che erano troppo spalmate di rimmel, l'orologio che camminava sempre più piano. Perché Richard non era passato a prenderla a casa? Perché non veniva? Ecco, veniva. Avanzava con la sua andatura esitante, le sue lunghe gambe sempre un poco piegate, le sue lunghe braccia sempre un po' ciondoloni, i suoi riccioli rossi sempre un po' spettinati, la sua voce stentorea che ora diceva: "Sorry, ho fatto tardi per colpa di Bill. Presto. È già incominciato?" Nient'altro. Ed ora la spingeva nell'atrio, ora porgeva i biglietti a una maschera vestita di rosso, la guidava lungo un corridoio tappezzato di rosso, la faceva sedere su una poltrona foderata di rosso, mentre l'orchestra suonava e la gente zittiva.

"Sei comoda? Vedi bene di qui?"

"Comodissima, grazie. Vedo benissimo, grazie."

"Silenzio, per favore!"

"Tutto a posto?"

"Sì, Richard. Sono felice."

"Silenzio, per favore!"

"Ma no! Chiedo se..."

"Silenzio, abbiamo detto!"

"Cosa chiedevi, Richard?"

"Niente, niente."

"Ssst!"

Il musical si chiamava *West Side Story* e Richard lo aveva già visto due volte: ma non staccava gli occhi dal palcoscenico. Giovanna lo seguiva senza interesse: ma non muoveva la testa. Entrambi sedevano rigidi, impettiti, timorosi perfino di sfiorarsi coi gomiti: quasi che il magico incontro di sei notti addietro non fosse avvenuto ed ora si ritrovassero estranei. L'intervallo giunse come una liberazione.

Uscirono insieme agli altri, sul marciapiede, ma Richard si trovò subito circondato di gente e invano Giovanna lo interrogava con gli occhi, le labbra serrate, affinché riprendesse il discorso interrotto dagli zittii. Frenato dalla paura di dover affrontare la sua nuova battaglia di Gela, protetto da quel rimbalzare di frasi, Richard evitava il suo sguardo e si tuffava in conversazioni, polemiche: "Troppa voce"; "No, poca voce"; "Eccellente il balletto vi pare?"; "No, mediocre". Quando rientrarono in platea non avevano scambiato tra loro una sola parola e di nuovo sedettero rigidi, impettiti, timorosi perfino di sfiorarsi coi gomiti: lui a pensare che la confessione si presentava assai più difficile di quanto aveva previsto, lei a pensare che far scattare una trappola è cosa da niente ma dopo che fai? Imprevedibilmente, stupidamente, la sua vittoria diventava quella di un soldato che ha fatto prigioniero un nemico ma ora deve portarselo dietro, nutrirlo, subirlo, impedirgli la fuga, correre il rischio di diventare a sua volta suo prigioniero, magari di amarlo. Ad aumentare quel rischio, accadevano cose suggestionanti sul palcoscenico: Maria amava Tony e Tony amava Maria, tra piroette e canzoni non facevano che ripeterselo, ed ora si abbracciavano con trasporto sul letto mettendole addosso la voglia di abbracciare Richard, di ripetere la Cosa. Quando il sipario calò sulla commedia, Giovanna si rivolse decisa a Richard.

"Andiamo a casa?"

"Ma no! Andiamo a bere qualcosa al Monocle."

"Lo conosco di già! Ci sono stata con Bill."

"Ah, sì. Me l'ha detto. A proposito: scusami se ti ho fatto aspettare e non son venuto a pigliarti. Bill ha telefonato che voleva vedermi: abita nella Cinquantacinquesima. Mi era più comodo venire in Broadway di lì."

"Naturalmente. Cosa voleva?"

"Niente. Conosce bene Tallulah Bankhead:

120

mi ha organizzato un reportage su di lei," rispose Richard aggrottando la fronte. Gli sembrava ancora di udire la risata di Bill: "Dunque stasera c'è il match. Ecco uno spettacolo che non vorrei perdermi!"

Andarono al Monocle. Giovanna girò lo sguardo scontento nel buio: cercando di abituarvi gli occhi. "Strano, no? C'è sempre buio nei ristoranti e nei caffè di New York. A vederla di fuori questa città è uno sfavillare di luce ma quando sei dentro ci cammini a tentoni come un cieco. Si direbbe che gli americani abbian vergogna di guardarsi in faccia quando son chiusi fra quattro pareti."

"Ne hanno, Giò: vergogna e paura. Per questo apprezzano il buio. D'altra parte è romantico, no?"

"Certo," disse Giovanna aguzzando gli occhi. Un po' per volta incominciava a vedere: e più vedeva più diventava scontenta. Il pomeriggio in cui era scesa a raggiungere Bill, il Monocle era vuoto: assomigliava a qualsiasi caffè del Village. A quest'ora, invece, vi si muovevano curiose persone: in un angolo, due giovanotti parlavano fitto accarezzandosi le maniche della giacchetta. In un altro, due ragazze in calzoni stavano dicendosi addio: ed una, la più brutta, piangeva; le lacrime cadevano di sotto i suoi occhiali appannati facendo paf! sopra il tavolo.

"Non andare via subito, aspetta."

"Oh, mi stai infastidendo!"

121

«Ti supplico, tesoro.»

«E non chiamarmi tesoro!»

«Ma cos'ha, lei, che io non ho?»

«È bella. E non mi rompe le scatole.»

Giovanna si lasciò andare a una smorfia. «Che razza di gente. Sembra impossibile: li lasci a Roma e li ritrovi a Parigi. Li lasci a Parigi e li ritrovi a Londra. Li lasci a Londra e li ritrovi a New York.»

«Hai ragione, Giò. Non è il posto più adatto a parlare. Andiamo da qualche altra parte.»

«Perché? Non sono mica una bimba. E poi che noia ci danno? Io li trovo soltanto buffi, eleganti. Vieni spesso al Monocle?»

«Sì, naturalmente. Ci vengono cover girls, indossatrici: la materia prima pei miei reportages. Bill dice che questo è il mio vero ufficio.»

«Richard, quante volte ti sei innamorato delle tue cover girls? Se fossi un uomo perderei la testa per le cover girls.»

Si sentiva moderna, indulgente. Lui invece si sentiva ancor più perduto del giorno in cui le chiatte da sbarco correvano verso la spiaggia. Si passava le mani sopra la faccia, quasi volesse lavarla, e, quando le mani scendevano al mento, la faccia sembrava ancor più incavata, spettrale.

«Devo parlarti, Giò. Bevi qualcosa?»

«Whisky, grazie.»

Venne il whisky. Richard lo inghiottì d'un fiato e ne ordinò subito un altro.

«La tua lettera era molto graziosa, Giò. Molto gentile e molto graziosa. L'ho letta più volte e..."

Un giovanotto lo interruppe fermandosi al tavolo.

"Ciao, Dick. Non ci vediamo da un secolo. Vuoi presentarmi a questa deliziosa creatura? Cosa fa? Come si chiama? Ci tradisci, Dick."

"Si chiama Giò, è italiana e scrive pel cinema. Ora scusami: ho daffare."

Bevve ancora del whisky.

"L'ho letta più volte, dicevo, e ci ho molto pensato. Vedi, Giò: io sono tornato ma non vorrei farti del male. È così facile fare del male a chi non è preparato a riceverlo: come te. Di conseguenza voglio essere chiaro fin dall'inizio e..."

"Ciao, Dick."

"Ciao."

"Ma dove t'eri nascosto?"

"Non ero a New York."

"Non tradire, eh?"

Richard frenò un'imprecazione. Poi posò la mano sulla mano di Giovanna che pensò: "Brucia, ha la febbre".

"Dunque, dicevo... Ah, sì. Dicevo che per capire me dovresti prima capire questo paese: così grande, così uguale, così allucinante. Vai da New York a Chicago, ad esempio, ed è lontano come andare in un altro paese: che so io?, da Roma a Parigi. Vai da New York a Los Angeles ed è lontano come andare da Roma a Mosca:

di più. Però quando arrivi è sempre lo stesso paese, lo stesso aeroporto, la stessa lingua: quasi tu viaggiassi su un tapis roulant che ti riporta nel medesimo punto da cui eri partito. Se capisci questo, capisci anche la solitudine che viene da questo, la paura che viene dalla solitudine, la debolezza che viene dalla paura..."

"Ciao, Dick. Come va?"

"Ciao."

"Dunque dicevo... Ah, cosa dicevo? Sì, dicevo che la solitudine, in questo paese, è allo stesso tempo causa ed effetto. Guarda la nostra struttura sociale: noterai che non lascia posto a un uomo solo o a una donna sola. La gente scapola, divorziata, vedova, è respinta da tutti poiché è ufficialmente sola: sicché, quando qualcuno ti viene incontro... Mi segui?"

"Sì, certo... Sai, anche Bill mi ha parlato di questo..."

"Bill?!" Richard inghiottì, si fermò. "Lascia perdere Bill, ora. L'incontro con una persona che non ti respinge perché sei solo, dicevo, diventa un miracolo: chiunque sia questa persona. Ma se la persona si interessa davvero di te, il miracolo ne è raddoppiato. In tanta solitudine, infatti, nessuno si interessa veramente di te. Ti chiedono come stai, ad esempio, ma non vogliono sapere davvero come stai perché, anziché rispondere: 'Bene, grazie', devi rispondere a tua volta: 'Come stai?' Si informano su di te, ad esempio: mai però sulle cose importanti. 'Did you enjoy your

124

scrambled eggs?' Ti sono piaciute le uova affrittellate? E tu pensi: che cordialità, gli preme perfino sapere se mi sono piaciute le uova affrittellate, forse posso chiedergli qualche consiglio sull'esistenza di Dio. Gli sorridi, rispondi: 'Sì, grazie, ma lei crede all'esistenza di Dio?', lo vedi fuggire. No, non guardarmi così sbalordita: non sono pazzo, Giò. Sono logico e sto per arrivare al punto che mi preme. Grazie al cielo, tu non sei come le altre. Capisci. Così ho deciso che devi sapere. Dopo, saremo amici o nemici: se saremo nemici non ci vedremo mai più, ma se saremo amici..."

"Ciao, Dick."

"Ciao, Mary."

"Non hai bisogno di me, tesoro?"

"No, grazie. Niente moda per il momento. Preparo un reportage sulla Bankhead."

"Chiamami lo stesso, tesoro. Lo sai che esco sempre volentieri con te." Poi, rivolta a Giovanna: "Non lo trova maledettamente attraente?"

Anche la ragazza era maledettamente attraente. Giovanna strinse le labbra e pensò, con stupore, che stava diventando gelosa; era scomodo, per lei, che Richard avesse a che fare con tante bellezze. E distolse lo sguardo da Mary che baciava Richard: perdendo la scena di lui che respingeva il bacio come una mosca noiosa.

"Cristo! Ma che bisogno hanno di interrompere coi loro ciao? Il prossimo che mi interrompe lo scaravento nel muro. No, stai tranquilla:

non sono ubriaco. Posso bere una bottiglia di whisky e restar lucido come un astemio. È l'unica cosa che so fare bene. Cameriere, altri due whisky, prego. Dunque, come dicevo? Ah, sì. Dicevo che una volta andai dallo psicanalista, per questo. Ma poi lo psicanalista morì e non c'ero andato abbastanza perché fosse servito a qualcosa. Ero appena arrivato alla morte di papà, figurati. Dovevo ancora raccontare del mio arruolamento, del macabro scherzo che mi avevano fatto certi soldati in un bordello, del terribile sbarco in Sicilia... Oh lo so! Voi europei ridete della psicanalisi. La considerate una mania di noi americani. Voi europei avete altre cose: i preti, ad esempio. E in un certo senso loro vi ascoltano gratis: tutt'al più ricattandovi con la favola dell'inferno. Noi, invece, i nostri preti in camice bianco bisogna pagarli e non si ha neppure il vantaggio di confessarsi attraverso una grata. Ti guardano in faccia, tutt'al più ti fissan la nuca, e tu stai lì, sul lettino, a sentire quegli occhi che ti pigian la nuca, e ti vergogni, la tiri più lunga che puoi: come sto facendo con te. Mi segui?"

Lo seguiva, eccome. Lo seguiva con gli occhi, gli orecchi, il cervello: soprattutto un'immensa paura. Cosa stava per dirle? Cosa aveva già detto allo psicanalista? Cosa significavano quelle allusioni, quelle ritrosità? Una parte di lei voleva sapere e una parte non lo voleva. Una parte di lei era pronta a ricevere la pugnalata, e una parte di lei era pronta a bendarsi gli occhi e gli orecchi e il cervello: pur di risparmiarsi ferite. Né si trattava soltanto di volontà o sentimento: la sua esperienza di vita aveva troppi vuoti per farle intuire fino in fondo il nocciolo della questione. Intuiva soltanto, e in modo confuso, che se lui era un uomo sbagliato lei era una donna sbagliata, se lei lo avesse aiutato lui l'avrebbe aiutata: la barricata che divide uomini e donne è un filo talmente sottile, con la stessa facilità si può rompere o lo si può superare.

"Ti seguo, Richard," disse seria Giovanna.

"Si tratta di questo," disse deciso Richard. "Io..."

Non poté finire la frase.

"Eccoli!" strillava contenta Martine. "Non abbiamo fatto bene a raggiungervi? Lo diceva, Bill, che vi avremmo trovato al Monocle. Ha un fiuto, lui! Cavolini miei, è l'una del mattino e crepo di fame. Andiamo tutti e quattro a mangiare. Bill ha scoperto un ristorante giapponese che chiude all'alba, ed ha prenotato una bella tempura."

Giovanna si alzò rassegnata. E mentre un ago di gelo le si insinuava dentro la testa colse il sorriso maligno di Bill che osservava, lisciandosi i baffi, Richard.

VIII

"Cosa volevi dirmi, Richard?"

Era stata una cena carica d'imbarazzo: con Martine raggelata nello stupore, Bill più provocatorio del solito, Richard occupatissimo a mangiarsi le unghie, Giovanna educatamente ostile. Il cameriere giapponese li aveva convinti a levarsi le scarpe: data la situazione, ciò era stato abbastanza grottesco. La tempura era un banale fritto di gamberi che Martine detestava. Martine s'era messa a strillare di voler qualcos'altro sicché il cameriere aveva acceso il fornello incastrato nel tavolo, poi aveva cotto lì sopra carne e cipolle sollevando sui quattro volti infastiditi un nauseabondo odore di grasso. La cosa aveva permesso a Bill di fare un brillante discorso sulla perfidia delle donne: cui Giovanna aveva risposto con battute velenose. Finalmente e tra il sollievo di tutti le due coppie s'eran divise: Bill e Martine a casa di Bill, Giovanna e Richard sopra un taxi diretto a Washington Square.

"Cosa volevi dirmi, Richard?" ripeté Giovanna.

"Quando?" chiese Richard spalancando la bocca nella più innocente sorpresa.

"Quando eravamo al Monocle, prima che arrivassero Bill e Martine," disse Giovanna fingendo di credere alla sorpresa di lui.

"Non ricordo. Sarà stata qualche sciocchezza che m'è venuta in mente a vedere quel musical. Ti è piaciuto? Eh? Ti è piaciuto?"

"Sì, Richard: non divagare. Cosa volevi dirmi al Monocle?"

Richard osservò con attenzione le unghie mangiate e poi alzò le spalle: con l'aria di non ricordare davvero. L'irruzione di Bill e Martine aveva eliminato in lui l'unico momento di coraggio e quel coraggio non sarebbe tornato mai più. Dannato Bill! Glielo aveva detto di non venire a seccarlo, "se vieni non ce la fo". Con un'altra alzata di spalle, tentò di mettere insieme una risposta esauriente.

"Vedi, Giò. Ci sono tre tipi di persone: quelli che vivono la propria vita, quelli che discutono la propria vita, quelli che scrivono la propria vita. Bill la scrive, tu la discuti, io la vivo. A cosa vale spiegarci come se fossimo personaggi di una commedia? Son tornato, ecco tutto. Autista, stop."

L'autista fermò quasi all'angolo della Quinta Avenue con Washington Square. Giovanna e Richard scesero.

"Ti accompagno," disse Giovanna.

Affettuosamente, Richard la spinse verso la casa di Martine.

"Tocca a me accompagnarti."

"Io accompagno te e poi tu accompagni me," tentò di scherzare Giovanna.

« Giò, sono stanco. Pensa che stamani ero a San Francisco. »

« Non ci avevo pensato. Buonanotte, Richard. »

« Buonanotte, Giò. »

La baciò come si bacia una sorella: sopra la tempia. Sorrise con imbarazzo.

« Giò, come dicono nei melodrammi? 'Ho bisogno di te.' Ecco: ho bisogno di te. Perciò dormi bene, riposati. » Poi si allontanò tentennando: un'ombra smilza sul muro. E lei corse in casa, felice. Che importava se questa seconda serata era stata un disastro? Richard aveva detto: « Ho bisogno di te »: nient'altro contava. Chiuse gli occhi, si toccò la fronte caldissima, appoggiò le labbra sopra il guanciale: immaginando che non fosse un guanciale ma Richard. Sorrise alla sua eccitazione, pensò che le sarebbe piaciuto ripetere al più presto la Cosa. Dicono che la seconda volta sia molto più bello: domani lo avrebbe saputo. Domani sarebbe entrata al di là della porta smaltata di verde e avrebbe saputo, ripeté a se stessa. E fiduciosamente si addormentò per svegliarsi sopra un mattino carico di promesse.

Non erano una promessa, quei platani verdi? Non erano una promessa quelle campane che suonavano dalla chiesa di fronte? Non erano una promessa quei ragazzi e quelle ragazze che camminavano con la mano nella mano e i libri nell'altra? E non era bello vivere al Village, questo quartiere colorito, bizzarro, con le villette elisabettiane e le scalinate esterne, dalla ringhiera di ferro arrugginito? Chiamò Martine con un urlo gioioso, le rispose un grugnito di sotto il guanciale. Martine emerse dai lenzuoli viola mostrando un broncio gonfio di sonno, due occhi pesti: da persona che ha pianto.

"Cosa vuoi, Giò?"

"Oddio, Martine! Che hai fatto?"

"Cosa vuoi che abbia fatto? Sono tornata alle sei del mattino. Dammi una sigaretta e procurami un succo di pesca con lo champagne."

Le dette la sigaretta, ordinò alla cameriera di preparare il succo di pesca con lo champagne.

"A quest'ora, Martine! Non sarebbe meglio un caffè?"

"Non mi seccare."

"Ho capito. Ce l'hai con me per ierisera. Martine, io devo chiederti..."

"Ho litigato con Bill. Puoi tenerti le scuse."

"Oh, no! È colpa mia."

"Non è colpa tua."

"Sì, invece. Quanto mi addolora, Martine."

"A me neanche un pochino."

"Ma se eri tanto innamorata di lui!"

"Non più."

"Martine, cosa è successo?"

"E tu dove sei stata?"

I capelli sciolti lungo le spalle, il volto seminascosto dal fumo della sigaretta, Martine la fissava con attenzione.

"In nessun posto. Sono venuta immediatamente a dormire. Richard era stanco."

«Ben fatto. Lo rivedrai?»

«Certo che lo rivedrò. Sapessi quant'è caro, Martine. Io non ho mai conosciuto uno come Richard.»

«Su questo non ho dubbi.»

«Oh! Ti sei proprio svegliata male, Martine. Ciao. Io scendo in cucina a bere un caffè.»

«Giò, vieni qua.»

«Sì, Martine. Cosa c'è?»

Martine spense la sigaretta, bevve una lunga boccata di succo di pesca e champagne, si riaccucciò sotto i lenzuoli.

«Nulla. Volevo dirti che sta suonando il telefono.»

«L'ho sentito.»

«Allora rispondi: che aspetti? Non capisci che mi spacca le tempie, che non lo sopporto? Rispondi, perdio! Forse è il tuo carissimo Richard.»

Giovanna si strinse nelle spalle, senza capire.

«Hallo?»

* * *

Era Richard. Allegro, anche lui. E la sera lo fu ancora di più. La portò a cena in un ristorante ungherese, la divertì aggiustandosi un crek al formaggio sopra una palpebra a mo' di monocolo poi fingendo di fumare un grissino. Le fece mangiare crauti alla kolozsvàà, le fece bere Châteauneuf-du-Pape. «Odio le uova al prosciutto, il pop corn, la coca cola. Ah, Giò: come amo la buona cucina europea!» Dette mance esagerate ai due

132

tzigani che suonavano il violino, la portò in un raffinato night club dove quattro artisti di sconosciuto talento prendevano in giro l'America. "La New York che tu conosci," diceva, "non è quella vera. È quella di Bill: fatta di cemento, fiocchi d'avena ed orgoglio. Io ti mostrerò la vera New York che è spiritosa, elegante, internazionale come nessuna metropoli. Dimmi: dove trovi in Europa la vecchia Ungheria, la vecchia Russia, la vecchia Francia, la vecchia Italia? In Europa tentate di copiare l'America, siete quasi americani. Ma qui trovi gli europei che emigrarono cento anni fa: e non li abbiamo sciupati. Ah, Giò! Devi capire perché amo New York. Perché c'è il mondo intero, a New York: Londra, Parigi, Pietroburgo, Tokio, Beirut, Shangai. C'è tutto: perfino il senso di humour. Guarda questi mascalzoni: non sono squisiti?" Le raccontò dei duecentomila gatti che vivono dentro la subway, dei cinquemila falchi che vivono sui grattacieli: "Sì, li abbiamo contati, uno per uno. Siamo irraggiungibili nelle statistiche, sai? Riusciamo a fare il censimento dei gatti e dei falchi". Le raccontò la favola del signor Roosevelt Zanders, autista di Rolls Royce e tanto ricco che per andare al lavoro ha il suo autista. Uscendo per strada, si mise a ballare il tip tap intorno a un passante infastidito e, quando costui gli fece un urlaccio, esclamò: "Non ci badare, è arrabbiato perché non ce l'ha fatta a diventar presidente degli Stati Uniti. Tutti gli americani sono arrabbiati perché non ce l'hanno fatta a diventar presidente degli Stati Uniti".

"E tu non vuoi diventarlo?"

"Io me ne frego: faccio il fotografo. Ah, Giò! Conosci la gioia sublime che esalta ogniqualvolta racconti una storia attraverso una immagine? L'immagine è durata solo un secondo, una frazione di secondo: ma tu l'hai catturata lo stesso, ed è stato come mettere il tempo in bottiglia. Quando metto il tempo in bottiglia io mi sento un mago, un alchimista, una strega. Verrai nel mio studio a vedere i miei reportages? Eh, verrai?"

"Anche subito. Andiamo."

"Subito?... Impossibile... Non c'è nessuno a quest'ora... Non sarebbe corretto."

"Che male c'è a stare soli? È tutta la sera che stiamo in posti pieni di gente."

"Sì, hai ragione: ma m'è venuta una terribile fame. Ah, perché ho sempre fame? Giò, permettimi un'apostasia: ti offro due uova al prosciutto in questo snack bar."

Entrarono nello snack bar, sedettero tra la gente sola che beveva malinconicamente il caffè, mangiarono le uova al prosciutto, il suo farneticare riprese. Pretesto: una reclame trasmessa alla radio.

"La senti, eh? La senti questa voce che piove e non si sa mai da dove piove? È la voce del dio americano che non si vede ma esiste e quando non canta ti comanda qualcosa: di prendere un aereo, di bere un succo di pomodoro, di non re-

134

care offesa al Congresso. Ah, Dio! Dammi un po' di silenzio."

"Andiamo a casa, Richard. Lì c'è silenzio."

"Andiamo, andiamo. Voglio camminare un pochino."

La campana del Villaggio suonava le tre quando finalmente raggiunsero Washington Square. Così, quella notte, Giovanna non osò nemmeno domandargli di accompagnarlo al di là della porta smaltata di verde: e ciò fu l'inizio di una serie inebriante ed assurda di serate inebrianti ed assurde.

Richard chiamava generalmente al mattino: per decidere dove sarebbero andati la sera. La sera veniva a prenderla verso le sette e insieme andavano a mangiare in qualche ristorante costoso ed esotico, poi a far le ore piccole in qualche teatro o night club o cinema: dove Richard sedeva arrotolato come un gatto, la mano nella mano di Giovanna che poi la ritirava intorpidita facendogli gridare "Dove sei andata a finire! Rendimi la mano!" Oppure andavano a un cocktail, a un'anteprima, in qualche luogo sempre pieno di gente, dove quel divertirsi ciarliero, affettuoso, incompleto, durava fino alle tre del mattino, o alle quattro: quando Giovanna rientrava con le scarpe in mano per non svegliare Martine, e si abbatteva semisvestita sul letto, incapace di prendere sonno, insoddisfatta, intenta a chiedersi cosa vi fosse di sbagliato nei suoi rapporti con Richard che in otto giorni

135

non aveva più osato riportarsela a letto.

"Ti accompagno?"

"No, tocca a me accompagnarti."

"Vuoi salire?"

"No, è quasi l'alba."

"Vengo a prenderti io, domani?"

"No, tocca a me venire a prendere te." E in questo ricordo di schermaglie, discussioni penose, tentativi sempre falliti, essa si addormentava: per risvegliarsi al mattino con la testa pesante, la lingua impastata, le gambe intorpidite, il braccio teso verso il telefono per rispondere alla chiamata di lui. I giorni, in quel periodo, diventavano spazi tra una telefonata e l'altra, tra il momento in cui Richard saliva le scale a incontrarla e il momento in cui la salutava in fondo alle scale. E in quegli spazi non riusciva a far nulla di serio. Il soggetto del film era un incubo sempre rimandato, la fiducia di Gomez una preoccupazione mai risolta. A volte, per illudere Gomez, andava in ufficio ed incaricava la ragazza con gli occhiali di farle qualche ricerca, copiare gli appunti con cui riempiva il suo taccuino: frasi, osservazioni, pensieri di Richard. Oppure tentava di cucire insieme una storia: ma le parole, nel suo cervello annebbiato, diventavano numeri; su ciascun foglio si ripeteva come un ritornello il medesimo inizio: "Elena alzò le braccia al cielo e gridò: 'Christian Dior!' Elena era bella, con un volto irregolare di cui conosceva l'irresistibile fascino, e all'anulare sinistro portava un

brillante grosso come una caramella di menta".
Uno di quei fogli era capitato a Martine la quale, pur sentendosi lusingata, s'era messa le mani tra i capelli.

"Christian Dior! È qui il tuo famoso talento?"

"Dammi tempo, Martine. Manca l'ispirazione, verrà."

"Non hai mai sofferto davvero. Ecco perché ti manca l'ispirazione."

"Che ne sai tu della sofferenza, Martine?"

"Niente, mon petit chou. Hai proprio ragione."
Date le condizioni di privilegio in cui era partita, pensava Giovanna, e le poche settimane trascorse, non c'era motivo di pigliarsela troppo. Come se ciò non bastasse, il produttore le aveva risposto rallegrandosi per la bontà dell'idea ed incitandola a prendere tempo. Tuttavia il senso di colpa aumentava, insieme al bisogno di sfruttar meglio un tale soggiorno, e invano essa ripeteva a se stessa di non perdersi in scrupoli: stava vivendo il periodo più affascinante della sua vita, il più spensierato, il più fertile...
Fertile? Non dormiva abbastanza, verso le dieci si alzava piena di nausea e beveva litri di caffè per svegliarsi, rispondere con voce allegra a Richard: "Certo che ci vediamo. Alle sette".
Poi, con sforzo, si preparava a raccogliere energie per la sera e, mentre Martine scoteva la testa, usciva a sgranchirsi le gambe pel Village.
Inevitabilmente però capitava sotto le finestre di Richard, gli occhi sull'atrio col leone di pie-

tra o l'insegna spenta del Gordon's Gin, e saltava su un taxi. Il taxi la lasciava in midtown: ormai trascinata dalla pigrizia entrava nei magazzini, in un Automat. Non sapeva resistere all'insegna dell'Automat, quelle lettere rosse che simboleggiavano l'America crudele di Bill, tradita ogni sera insieme a Richard. Si avvicinava alle macabre pareti di vetro divise a sezioni, Cibi Caldi, Cibi Freddi, Dolci, Bevande, infilava i soldi dentro lo sportellino, girava la manovella, e, con l'ingenuo divertimento che l'aveva aggredita i primi giorni a New York, afferrava un hamburger, un'insalata appassita: che al tavolo di plastica non avrebbe mangiato. Poi usciva, si avviava per la Quarantaduesima, si tuffava nella Quinta Avenue, sedeva sulle scalinate della Public Library insieme agli studenti e ai vagabondi.

L'edificio neoclassico della Public Library, con le colonne bianche, le balaustre punteggiate da escrementi di piccioni, gli alberi grigi, era il suo punto di equilibrio topografico e sentimentale. Lì si sentiva ugualmente distante dal Village, l'America di Richard, e dai grattacieli del Rockefeller Center, l'America di Bill. Rannicchiata su un gradino, le braccia intorno alle ginocchia e il mento sulle ginocchia, poteva osservare e pensare. Osservava il traffico crudele lungo la Quinta Avenue, gli autobus verdi, i taxi gialli e ingombranti, le automobili della propaganda elettorale urlata attraverso i megafoni, i giornalai che vendevano incessantemente giornali presto gettati nelle cassette dell'immondizia, quei piedi che camminavano senza fermarsi, quei volti che sfilavano senza fermarsi: e la coglievano i dubbi. Perché a molta gente questa Terra Promessa non piaceva e sembrava un inferno? Pensava a se stessa, alla Cosa, a Richard: e la coglievano sospetti angosciosi. Perché la Cosa non si era più ripetuta? Perché ogni sera le faceva far tardi in luoghi gradevoli, sì, ma sempre pieni di gente? Perché non capiva quanto fosse ridicolo per una donna di ventisei anni trovarsi intrappolata in una relazione platonica col medesimo uomo cui s'era data per la prima volta della sua vita? A cos'era servito aver spalancato le porte dell'Inferno se non osavano entrarci? Lei era adulta, lui era adulto, lei era libera, lui era libero: questa castità da neonati non diventava ogni giorno più assurda?

Incapace di capire, decisa a non capire, trasformava i sospetti in interrogativi senza risposta. Poi si alzava, svogliata, saliva su un autobus che la lasciava all'angolo con la strada di Richard e qui, con amara ironia, esplodeva nell'ultima domanda: la Cosa era davvero avvenuta? Ai suoi sensi ormai svegli si univa anche l'esasperata curiosità di rivedere il letto al di là della porta smaltata di verde, convincersi che la Cosa era davvero avvenuta. E architettava scuse, pretesti per poterci tornare, finché un pomeriggio, quando Richard chiamò per avvertirla che sarebbe passato a prenderla verso le otto, rispose: "Non sarò in casa, a quell'ora. Passerò io da te. Ciao, scusami, ho fretta". Poi incaricò la cameriera di rispondere, nel caso che il signor Baline richiamasse: "La signorina non c'è. Non posso prender messaggi perché ignoro dove sia andata e quando ritorni". Il signor Baline richiamò, la cameriera disse quel che c'era da dire, Martine lanciò un'occhiata obliqua senza fare commenti. E alle otto, puntuale, Giovanna era lì.

"Entra pure," gridò dal bagno la voce stentorea di Richard. "Non c'è chiave."

Cautamente Giovanna girò la maniglia, aprì.

"Accomodati, c'è il whisky sul tavolo."

Ancora più cautamente Giovanna avanzò lungo il corridoio, fu nel grande soggiorno.

"Finisco di farmi la barba."

In silenzio, Giovanna sedette su una poltrona e tutto era come ricordava: la scrivania ingombra di fogli e fotografie, il divano di velluto marrone, l'anta scorrevole della camera da letto. L'anta era chiusa.

"Giò, sei lì?"

"Certo che sono qui."

"Per favore mi prendi una camicia? Nel terzo cassetto del mobile in camera."

"Va bene."

Aveva le mani sudate, le scivolarono più d'una volta sull'anta. Poi riuscì ad aprirla e per un attimo la coperta bianca, il televisore ai piedi del letto, il grammofono, le bloccarono il fiato: la Cosa era avvenuta davvero. Ma subito si riprese e lo specchio della camera rifletté il volto di una ragazza composta che apriva un cassetto, tirava fuori una camicia e si allontanava. Richiudendo l'anta, le sue mani erano asciutte. Tese la camicia a Richard che allungava un braccio dal bagno e andò a versarsi un poco di whisky. Versandolo la bottiglia tintinnò contro il bicchiere.

"Giò, sei lì?"

"Certo che sono qui."

"Dove vuoi che andiamo, stasera? Al polinesiano, allo spagnolo, al francese, al cinese? Li abbiamo girati quasi tutti, ormai."

"Dove vuoi tu, Richard."

"Avanti non fare la remissiva. Non ti si addice."

"Remissiva io?"

"No, grazie a Dio non lo sarai mai. Però ti ci provi e nelle occasioni meno opportune: come scegliere un ristorante. Non lo sai che gli americani odiano scegliere? Guardali col menu in mano: tremano. Oh, Dio, sembran dire: ed ora che mangio? Mi sento americano fino al menu, questa sera. Non ho voglia di scegliere."

Era uscito dal bagno e si abbottonava la camicia. Ora la infilava dentro i calzoni che fasciavano i bei fianchi piatti. E sorrideva: con quell'aria di arcangelo appassito. Giovanna lo desiderò più che mai.

"Mangiamo qui. Scendiamo al drugstore,

compriamo qualcosa di buffo e mangiamo qui. Ti va, Richard?"

"No."

"Perché? Sarebbe divertente."

"No. Odio il puzzo di cipolla, l'olio che frigge, i piatti sporchi. Torniamo da Peter. Il suo menu è fisso e mi risparmierà decisioni."

"Va bene. Allora siediti qui e beviamo qualcosa."

"Giò! Io sto cadendo, mi sto disfacendo, mi sto denutrendo. Ho fotografato tutto il giorno una dannata collezione di vestiti ed ho fame. Andiamo subito a mangiare, ti prego."

Giovanna gli si piantò davanti, adirata.

"Ti dà fastidio vedermi qui?"

"Fastidio?... Che sciocchezza, Giò. Perché... dovrebbe darmi fastidio?"

Aveva fatto un passo all'indietro.

Lei si avvicinò, risoluta. Gli appoggiò le mani alle spalle, gliele strinse.

"Richard, questa storia è inconcepibile. Richard, non siamo bambini. Richard io ti de..."

Lo squillo del telefono le uccise la frase in gola. Richard corse a rispondere.

"Sì, Bill. No, Bill. Impossibile, Bill. Sì, esco con Giò. Sì, Giò è qui. Va bene. Ti chiamo più tardi o domanimattina."

Posò il ricevitore come se gli dispiacesse. Si grattò un orecchio, si pizzicò il naso, si finse indaffarato a cercar qualche cosa.

"Scusa, Giò. Cosa dicevi?"

142

"Niente. Non dicevo niente."

"Usciamo subito, allora."

Quella sera Richard piombò in una malinconia deprimente. Rimandò indietro il pollo farcito, lasciò quasi tutto il vino nella bottiglia. Infine attaccò un ingiustificato discorso sulla morte. "Ah! Come si fa a vivere in questa città di cadaveri? Tu non lo sai, ma questa è una città costruita sui cadaveri. Alzi gli occhi su un grattacielo e lì dentro, tra il ferro e il cemento, c'è almeno il cadavere di un operaio che lo costruì. Cammini per una strada qualsiasi e sotto i tuoi piedi c'è almeno il cadavere di un operaio che ci lavorò. Scendi dentro la subway e sulla tua testa c'è un soffitto di cadaveri: tutti cadaveri di operai che ruzzolarono nella calcina e ci restarono dentro perché a smettere la colata di calcina, i padroni, avrebbero perso tempo prezioso. Vai a pescare sulle rive di un fiume e in fondo, mischiato alla melma, c'è il cadavere di un suicida con la pietra al collo, di un gangster ucciso dai propri rivali. Vai a visitare un amico e ti accorgi che il vetro della sua finestra è appannato, con tanti bruscoli neri qua e là. Gli chiedi perché il vetro è appannato, cosa sono quei bruscoli neri, e lui ti risponde senza scomporsi che vicino c'è una Mortuary Home, evidentemente stanno bruciando un cadavere. Quei bruscoli neri sono ciò che rimane di un uomo. Cosa importa se, grazie a un inconveniente così banale, paghi meno d'affitto? Ah, no! Non sono fatto per vivere in una città dove i vetri si appannano perché vicino c'è un crematorio. Non sono fatto per vivere in un mondo dove gli aerei scrivono in cielo 'Bevete Pepsi Cola'. Quando vedo un aereo io penso a un angelo. Ora dimmi, Giò: può un angelo scrivere in cielo 'Bevete Pepsi Cola'?"

"Mangia, Richard."

"Mangia, mangia. Qui tutti risolvono tutto con il mangiare: sei una di loro? Mangia, mangia. Lo dicono anche gli psichiatri: quando il dolore ti assale, tu mangia. Come se l'anima avesse un sistema digerente. Lo dici anche tu?"

"Non lo dico, Richard. Ma io vengo da un paese dove il sistema digerente soffre ancor più dell'anima perché l'anima si riempie coi sogni e il sistema digerente no. Ho imparato ad essere pratica, io, ed ho visto troppi morti perché possa permettermi di piangere sui cadaveri che hanno costruito New York. Però ti capisco. Non mangiare se non vuoi."

"Ah, Giò! Che sollievo ascoltarti, sapermi capito. Vedi, Giò, a te posso dirlo: quando lo dico a Bill mi sento meschino. Vi sono momenti in cui agogno la morte come un bicchier d'acqua fresca quando si ha sete. Una volta, ci provai perfino: sai? Con la rivoltella di mio padre: ero appena tornato dalla guerra. La appoggiai alla tempia, premetti il grilletto e clic! Era scarica. Che vergogna, Giò! Che vergogna! Non ebbi la forza di caricarla e ricominciare. Non avrò mai, quella forza. Il suicidio non è un gesto vile, Giò.

144

È un gesto di coraggio, un atto di libertà: l'atto supremo di una suprema libertà. È la scelta definitiva tra avere e non avere l'unica cosa che possediamo: la vita. Il guaio è che chi non ha la forza di uccidersi non ha nemmeno quella di vivere..."

Giovanna lo ascoltava un po' sorpresa, un po' spaventata: e nello stesso tempo seguiva la musica diffusa dal solito grammofono dei ristoranti. Era una musica dolce, nostalgica: e la commuoveva più dei discorsi di Richard. Odorava di soffitte, di gente che va in bicicletta, di caffè troppo forte dentro tazze troppo piccole, odorava d'Europa. Cos'era? Ah, sì! *I love Paris.* Tese meglio l'orecchio: *"I love Paris in the Springtime, I love Paris in the Fall, I love Paris in the Winter when it freezes, I love Paris in the Summer when it..."* Quanto le sarebbe piaciuto, pensò, trovarsi in quel momento a Parigi, star seduta in un bistrò lungo il fiume che non ricorda cadaveri, camminare per strade che non chiudono cadaveri, scendere nella stazione di un metrò il cui soffitto non nasconde cadaveri. La riscosse la voce di lui.

"Andiamocene, Giò. Questa lagna mi uccide."

Quella sera andarono a sentire canzoni popolari e per tutto il tempo Richard la tenne stretta contro di sé, a mezzanotte le propose di andare a dormire. All'angolo della strada, sembrò colpito da un'incertezza nuova: la baciò a lungo.

"Se non hai ancora sonno... Se vuoi salire un momento..."

"No, grazie. Sono stanca e devo dormire," rispose.

"Davvero?"

"Davvero."

"Allora, ciao. Domani sera, purtroppo, non possiamo vederci. Ci vediamo domenica mattina, va bene? Sai, Giò, mi viene in mente una cosa: non ci siamo mai visti di giorno, noi due. Sempre dopo il tramonto. Domenica mattina ci vedremo col sole. Va bene?"

Giovanna rispose di sì, entrò in casa sperando di trovare Martine e chiederle se ci capiva qualcosa. Ad esempio: perché Richard s'era messo a parlare di morte dopo il suo tentativo di dirgli: "Io ti desidero"? Perché lei non era salita quando Richard aveva detto finalmente quella frase agognata: "Vuoi salire un momento"? Martine non c'era. Aveva lasciato un biglietto: "Pranzo insieme ad un biondo. Forse non torno. Avverti la cameriera di comprare lo yogurth"; sotto il biglietto c'era una lettera di Francesco. La aprì con dita veloci e la lesse cercando di definire le sensazioni che essa le dava.

"Giovanna cara, che dispiacere sentirmi dimenticato da te. Nemmeno un rigo, nemmeno una cartolina: e questa separazione mi è più pesante di quanto credessi. Devo ammetterlo: dal momento in cui mi sveglio al momento in cui mi addormento non faccio che chiedermi come stai, cosa fai, come va il tuo lavoro. Ho saputo dal commendatore (non è un po' triste averlo saputo da lui?) che hai già trovato un'idea pel soggetto: Martine. La notizia mi ha strappato un sorriso: possibile che New York non ti offra di meglio? Certi personaggi da telefoni bianchi mi hanno sempre dato fastidio: nella vita e al cinematografo. Uno si chiede come facciano a campare, se abbiano una rendita fissa. Se fossi in te, sfrutterei solo superficialmente il personaggio di Martine: insisterei di più sull'America. E il personaggio maschile lo hai definito? Ti scrivo in fretta perché sto per partire: vado a Parigi per collaborare a una sceneggiatura. Resterò due settimane. Potrai scrivermi, se vuoi, all'ufficio di Parigi. Ma scriverai? Voglio sapere cosa è successo. Ti abbraccio. Francesco."

No, non riusciva a definire nessuna sensazione leggendo questa lettera: solo una vaga invidia perché a quest'ora egli si trovava a Parigi. Di conseguenza, gli avrebbe risposto e confessato la verità. Si chinò sopra un foglio, rispose.

"Caro Francesco, mi chiedi cosa è successo e mi conosci come donna leale. È successo esattamente ciò che temevi: ho ritrovato quel morto. A volte i morti sono più vivi dei vivi: avevi ragione. Inutile spiegarti, perciò, le circostanze incredibili nelle quali l'ho ritrovato. Più ci penso e più mi sento una mosca caduta nella ragnatela, o la pedina di un assurdo gioco di scacchi condotto da un Giocatore Invisibile. Richard Baline non è in alcun modo degno di te: io lo so. Però, e mio malgrado, credo di amarlo. A volte la sola idea di rinunciare a vederlo per una sera mi fa sentir povera. Perdonami, quindi, Francesco: dovevo pur dirtelo e i nostri rapporti non erano tali da darmi il senso di un tradimento. Non eravamo amanti, né coniugi, né fidanzati. Eravamo, siamo ancora lo spero, teneri amici. Ed è al tenero amico che dico: non so, non posso sapere come ciò finirà, quando finirà, se finirà. Ma farò di tutto perché non finisca. Di nuovo perdonami. Giò."

Era quasi l'una del mattino. In piazza i beatniks facevano il solito fracasso del venerdì. Tre blocchi più in là, dietro la porta smaltata di verde, un dito secco faceva il solito numero del telefono.

"Hallo. Bill?"

IX

Ostinatamente, Martine si rifiutava di raccontare quel che era successo con Bill la notte del ristorante giapponese. Alle domande di Giovanna si chiudeva in silenzio o scuoteva la testa o cambiava discorso e poi, rimasta sola, si incantava a guardarsi le unghie o brontolava qualcosa fra i denti: quasi che un pensiero fisso, una ossessione la tormentasse.

La sua vita si svolgeva sempre nella girandola delle prime a teatro, dei cocktail, dei flirt destinati a morire nello spazio di ventiquattr'ore. Eppure, pensava Giovanna, non era più la medesima. Era, come dire?, un po' meno Martine. Capitava ad esempio che rispondesse a un corteggiatore particolarmente gradito di non poter incontrarlo a causa di inderogabili impegni o emicranie: poi restava distesa sul letto ad ascoltare dischi rumorosi, a sonnecchiare, a ripetere che voleva comprarsi un cane, magari uno Yorkshire terrier perché era il più piccolo sul mercato. "Di', non sembra un bambino peloso?" Se usciva per cena, rincasava ad ore possibili. Al mattino, svegliandosi riposata, ostentava un'aria saggia e indulgente; diceva: "Mon petit chou, fatti furba!" Un pomeriggio aveva insistito per essere accom-

149

pagnata da Hammacher and Schlemmer e qui era successo un episodio che aveva lasciato Giovanna perplessa.

C'era uno stand per i cani, in quel magazzino. Martine ci girava dintorno, svagata, quando lo sguardo le era caduto sopra una scatola di scarpine contro la pioggia: tanto minuscole che non sarebbero bastate a un neonato. Portandosi una mano al cuore aveva sbarrato gli occhi, poi corrugato la fronte, e con una specie di rantolo aveva annunciato: "Le voglio".

"Che te ne fai, Martine? Non hai mica un cane."

"Le voglio lo stesso. Comprerò il cane."

"Martine! Prima si compra il cane e poi le scarpe per il cane. La misura non potrebbe andar bene."

"Comprerò un cane che abbia la misura di queste scarpine."

"Martine, è stupido."

"No. Un paio, prego."

Il commesso la guardava senza reagire. Poi aveva preso la scatola trasparente di plastica dove le scarpine erano chiuse, ne aveva fatto un pacchetto e lo aveva portò a Martine.

"Ecco, Madam. Quattro dollari e venticinque centesimi."

Martine lo aveva fissato come persa in un sogno.

"Ho detto un paio."

"Queste sono un paio, Madam."

"Non sono un paio, sono quattro. Che me ne faccio di quattro?"

"Come ha detto, Madam?"

"Ho detto che me ne bastano un paio."

Il commesso aveva sbattuto le ciglia.

"Il suo cane è un cane normale, Madam?"

"Certo che è un cane normale. Sarà un cane normale. Come si permette di insinuar che il mio cane sia un mostro?"

"Posso osservare, Madam, che un cane normale ha quattro zampe e non due?"

Martine lo aveva fissato un secondo, sempre persa in quel sogno, poi era sbiancata, arrossita, infine esplosa nella risata più agghiacciante che Giovanna avesse mai udito. Ridendo aveva agguantato il pacchetto, ridendo era uscita dal negozio senza comprare. ciò che voleva, ridendo era tornata a casa dove Giovanna le aveva scoperto una lacrima, giù per la guancia.

"Martine! Ma cos'hai? Piangi?!"

"Oh, sì. Pel gran ridere."

Ed ora le quattro scarpine di un cane che non esisteva stavano lì, nel soggiorno, insieme ai ninnoli antichi, i posacenere di giada, le uova di marmo, e Martine le accarezzava col dito dall'unghia smaltata di rosso mentre diceva a Giovanna: "Preoccupata per me, stanotte?"

"No. Mi avevi detto che non saresti tornata."

"Non mi chiedi cosa ho fatto?"

"No. Sei stata a cena insieme ad un biondo."

"A cena soltanto?"

"Martine, il resto non lo voglio sapere."

"Qui ti volevo. Dopo, ho camminato tutta la notte. Da sola."

"Accidenti! E perché?"

"Dovevo pensare. Giò, ho grosse novità per te. Ho deciso di cambiar vita."

Giovanna, ancora in pigiama, le sedette di fronte. Tutto avrebbe immaginato, vedendo rientrare Martine, fuorché avesse deciso di cambiar vita.

"Martine, stai per risposarti?"

"Vuoi scherzare?"

"Stai per avere un bambino?"

"Vuoi bestemmiare?"

"Vuoi farti monaca?"

"Giò, non hai fantasia. Guardami bene. Non vedi nulla di nuovo?"

"Dove?"

"Il vestito. Guardalo bene."

"Lo guardo. È uno Chanel beige, con profili dorati. Molto bello. Probabilmente lo hai comprato stamani, insieme al cappello."

"Giò, guardami meglio."

Martine infilò la sigaretta dentro un bocchino e prese a camminare su e giù, fermandosi infine col bocchino a mezz'aria.

"Vedo un bocchino. È lungo e forse è d'oro."

"Giò, sei deprimente. E un po' cieca. Non vedi che ho l'uniforme?"

"L'uniforme?!"

"Insomma: come si chiama il vestito da lavoro?"

"Questo è un vestito da lavoro?"

"Sì."

Martine si accucciò sul divano, assaporò ciò che stava per dire.

"D'ora innanzi lavorerò."

"Scusa, Martine. Non ho capito."

"Hai capito benissimo. D'ora innanzi lavorerò. Oh, lo so bene che, in un elemento di disordine e di frivolezza quale son io, l'annuncio lascia stupiti. Non so nulla, io, della classe sociale detta classe che lavora. Quando qualcuno pronuncia quella parola, lavoratore, lo guardo come se dicesse otorinolaringoiatra: scioglilingua di cui non ho mai capito il significato. Tuttavia, lavorerò. E spedirò a tutti la partecipazione: 'Martine ha l'onore - di annunciare - d'essere entrata - a far parte - della classe lavoratrice'. Carino, n'est-ce pas?"

"Prematuro, direi."

Giovanna era sempre più divertita.

"Nemmeno per sogno. Chérie, alzati in piedi e saluta una lavoratrice con orario e stipendio. Da stamani faccio parte di *Harper's Bazaar*. È successo così: alle sette del mattino, dopo aver camminato per tutta New York, sono entrata in un bar e ho preso un caffè, poi un altro caffè e poi un altro caffè: così fino alle nove. Alle nove ho preso un taxi e sono andata da Bergdorf and Goodman. Ho lasciato il mio abito nero da pranzo ed ho comprato questo Chanel. Poi ho preso un altro taxi e sono andata dalla mia amica direttrice di *Harper's Bazaar*. Son entrata nel suo ufficio e si è svolto il seguente colloquio. 'Chérie, hai bisogno di un fattorino?' 'Martine, ti sei messa a proteggere i fattorini?' 'Chérie, hai bisogno di un giornalista?' 'Martine, ti sei messa a proteggere i giornalisti?' 'Chérie, hai bisogno di un'indossatrice?' 'Martine, sei in bancarotta?' 'Spirituale,' le dico. Dopodiché le comunico la mia decisione. Lei non batte ciglio e mi chiede solo di camminare su e giù. Cammino su e giù e lei dice che posso fare esclusivamente una cosa: indossare vestiti. Rispondo va bene e lei mi fa firmare dei fogli dai quali risulta che da lunedì mattina alle nove io faccio parte di *Harper's Bazaar*. Voilà."

"Martine, sei bugiarda. Ad *Harper's Bazaar* non assumono gente in cinque minuti."

"Bene, ho sintetizzato un pochino."

"E tu non ti alzi alle nove. Vai a letto alle nove."

"Bene, d'ora innanzi accadrà. E quel mascalzone di Bill non potrà dire che sono un'inetta, una parassita, che ho sempre vissuto alle spalle degli altri senza far nulla, che non posso capire le cose perché non mi sono mai alzata alle nove..."

"Martine, ora non dirmi che l'hai fatto per Bill."

Martine sollevò il telefono che suonava.

"Oh, darling! Oh, dear! No, lunedì sera non posso. Da lunedì io lavoro. No, non scherzo: ho trovato lavoro! Hallo! Hallo!"

Depose il telefono.

"Hanno tolto la comunicazione dicendo che avevano sbagliato numero. Idioti!"

Sollevò di nuovo il telefono che di nuovo suonava.

"Oh, darling! Oh, dear! Sto benissimo: ho trovato lavoro. No, cara, non sono ubriaca. Hallo! Hallo!"

Depose ancora il telefono.

"Questa mi credeva ubriaca. Oh, Giò: perché non mi credono?"

"Non ti crederanno mai. E Bill meno di tutti."

"Bill? Chi ha parlato di Bill? Non voglio parlare di Bill. Non ho niente a che fare con Bill. Oh, mi entra il nervoso. Ero tanto felice e mi entra il nervoso. Perché vuoi sciuparmi questo splendido giorno parlando di Bill?" E, riagguantato il telefono, riprese ad urlare la straordinaria notizia, a porre nuovi interrogativi a Giovanna.

Cos'era successo, quella notte con Bill? Certo qualcosa di grave se Martine ne era rimasta sconvolta al punto di cercarsi un lavoro. Perché Martine nascondeva la verità o addirittura inventava bugie? Di tutto il racconto che aveva fatto, Giovanna era pronta a scommetterlo, solo un particolare era esatto: la cena col biondo. Certamente più che una cena: Martine non era tipo da vagare su e giù per New York come una poetessa romantica, poi entrare in un bar mattutino per risolvere con un gesto definitivo la crisi. Il colloquio con la direttrice di *Harper's Bazaar*, anche questo era pronta a scommetterlo, risaliva a moltissimi giorni: come i fogli firmati. Ma cosa le aveva detto, Bill, oltre agli insulti che l'avevano tanto ferita?

"Martine..." incominciò Giovanna.

"Mon petit chou, niente interrogatori. Ora faccio un bel bagno e vado a dormire. Voglio dormire fino a lunedì mattina: mi fotografano, sai? Devo essere fresca come una rosa. E domani non mi svegliare, ti prego. Tu, domani, che fai?"

"Esco con Richard."

"Christian Dior! Quando ti deciderai a piantare quel Richard?"

"Non ho nessuna intenzione di piantarlo, Martine."

"E nemmeno di metterti in testa che non è fatto per te?"

"Nemmeno. Il mio parere sull'argomento è diverso."

"Tesoro, ascoltami bene: in certe cose io la so più lunga di te. Dick non è ciò che credi. Lo hai vestito delle tue passioni infantili, della tua suggestione dell'America. Non ami lui: ami l'America. E comunque Dick non è l'America: anche in quel senso non avresti potuto scegliere peggio. Dick è l'anti-America, direbbe Bill. Ah! Bill! Che questo nome non sia più pronunciato qui dentro!"

156

Quella notte Giovanna ebbe un tormentato dormiveglia: gli urli dei rimorchiatori accompagnarono fino all'alba il suo girarsi nel letto. Giungevano nitidi dallo Hudson e non suggerivano in lei nessuna idea di grandezza o magia: ma un sollevarsi maleodorante di acqua, un fetido puzzo di nafta. Cominciavano, senza che lei lo sapesse, i primi dubbi, le prime incertezze. E la attendeva, senza che lei lo intuisse, una giornata difficile. Alle dieci del mattino, quando Richard chiamò, si sentiva stanca come se avesse fatto tardi a ballare; accettò senza entusiasmo il programma che lui proponeva: "Prima andiamo in Harlem, alla messa dei negri, poi al Museum of Modern Art. Vieni subito: Harlem è all'altro capo della città. Ci vorrà almeno mezz'ora per arrivarci".

La voce di Richard suonava un po' isterica e nel ricevitore rimbombava un rumore di passi: ma non i soliti passi leggeri che la prima notte piovevano giù dal soffitto. Giovanna si vestì in fretta, nascose i capelli spettinati sotto un foulard e corse da lui. La opprimeva un presentimento sgradevole, allo stesso tempo un'ansia di vederlo ed abbracciarlo. Chiuse la porta piano piano per non svegliare Martine.

* * *

I negri erano tutti vestiti di bianco: scarpe bianche, calze bianche, camice bianco; le donne avevano una cuffietta bianca. Da quel bianco che doveva significare purezza i volti e le mani spiccavano ancora più neri, più tragici. Gli uomini stavano da una parte e le donne dall'altra. Tra il gruppo degli uomini e il gruppo delle donne c'era un palco con la bandiera americana, un grammofono, e un sacerdote in borghese che segnava il tempo con la bacchetta. La chiesa si chiamava Church of the Heir e si trovava al secondo piano di un vecchio edificio. Più che una chiesa era uno stanzone con le panche e l'inginocchiatoio dinanzi alle panche. Non c'erano immagini religiose né fiori né statue né crocifissi: solo uno striscione di stoffa su cui era scritto a gran lettere: "Iddio ti guarda con l'orologio in mano. Confessati!" Sulla soglia si era ricevuti da due ministresse di Dio: anche loro nere e vestite di bianco, una fascia viola intorno allo stomaco. Sulla fascia era scritto: "Iddio ti guarda con l'orologio in mano. Confessati!" Le ministresse di Dio avevano il compito di asciugare il sudore ai fedeli e di distribuire loro un ventaglio perché, spiegavano, presto avrebbe fatto caldo là dentro. Sul ventaglio era scritto: "Iddio ti guarda con l'orologio in mano. Confessati!"

Li fecero sedere, tutti e tre, dalla parte delle donne: nell'ultima fila. Bill stava a sinistra, Giovanna nel mezzo e Richard a destra. Nessuno dei tre parlava né si scambiava occhiate: l'incontro a casa di Richard era stato poco cordiale. "Ciao, mia graziosa lumachetta. Vieni anche tu

alla messa dei negri?" "Non con te, Bill." "O. K.
Dick: la tua Giò non mi vuole. Meglio me ne
vada." Ed ecco Richard guardarli con la solita
espressione smarrita, colpevole, poi tentare un
accordo che gli permettesse di non perdere nessuno dei due: "Bill! Giò! Cosa vi prende? Bill,
perché vuoi andartene? Giò, ascoltami: Bill mi
ha proposto di accompagnarci ed io preferisco
che venga con noi, a volte in Harlem finisce a
cazzotti. Insomma è possibile che dobbiate sempre litigarvi, voi due?" Così erano usciti, fianco a
fianco, e s'eran seduti, fianco a fianco, nella automobile rossa di Bill. Giovanna nel mezzo, Richard a destra, Bill a sinistra: che guidava. Fianco a fianco, lungo la Quinta Avenue, tutta deserta perché era domenica; fianco a fianco, giù
per il Central Park, deserto anche quello sebbene fosse domenica; fianco a fianco pei larghi
viali a spirale, con quel vento che entrava dal
finestrino, quel caldo che veniva di sotto al motore: e Richard imbronciato, Giovanna mortificata, Bill zitto. Bill guidava con gesti tranquilli,
sicuri, e Giovanna pensava che strana domenica:
è la prima volta che io e Richard usciamo di
giorno e questo antipatico è qui, perché è voluto
venire? Bill sorrideva il suo solito sorriso di ghiaccio e Richard pensava che strana domenica, è
la prima volta che io e Giovanna usciamo di giorno e questo prepotente è qui, perché è voluto venire? Fianco a fianco, per le strade diritte, i sottopassaggi, i semafori rossi che diventavano pau-

se di pesante silenzio, e così erano entrati in Harlem, una folla scura ed ostile, appoggiata ai muri, ai lampioni, e avevan parcato l'automobile rossa, eran saliti al secondo piano per sedersi dinanzi al tremendo striscione: "Iddio ti guarda con l'orologio in mano. Confessati!"

Veniva voglia davvero di confessarsi: o un terrore di farlo. Il grammofono suonava un motivo ossessionante di twist, identico a quello che suonavano la prima sera al Palladium. I negri battevano le mani e cantavano, il canto si ripercoteva sui vetri come un temporale. L'aria era calda, densa di sudore e minacce. D'un tratto il prete alzò la bacchetta, fermò il grammofono e disse: "Iddio ti guarda con l'orologio. Confessati!", una donna uscì dalla loro fila e si mise ad urlare i propri peccati. Era alta e magra, aveva gli occhiali. Urlando si torceva in vergogna e una ministressa di Dio le tolse gli occhiali perché non si rompessero. I suoi peccati erano peccati qualsiasi ma i negri dicevano: "Uuuuh!" e Giovanna avrebbe voluto zittirla, gridare: "Non la condannate. Noi tre siamo molto più cattivi di lei". Giovanna sudava. Si voltò verso Richard e gli disse: "Richard, ti prego. Andiamo via". Richard non la udì, era tutto bianco e ascoltava la donna. Ma Bill la udì e con un gesto deciso, un tono secco di voce, ordinò: "Dick, vieni via. Giò ha ragione".

"Ma perché? Io mi diverto."

"Via, ho detto!"

160

Uscirono. Richard a destra, Bill a sinistra, Giovanna nel mezzo e in ciascuno di loro il presentimento che non servisse fuggire. Scesero piano le scale, un'altra ministressa di Dio disse: "Ora conoscete la strada. Tornate". Bill rispose educatamente: "Torneremo prestissimo, grazie". Chiusero piano la porta, furono di nuovo dentro una folla scura ed ostile, raggiunsero l'automobile rossa. E l'automobile era tutta graffiata, sul parabrezza era scritto a gran lettere: "*Go to Hell, please*", andate all'inferno, per favore. Accadde quella scena terribile.

Accadde che Richard cancellò con la mano, ridendo, ma Bill gli agguantò come una morsa la mano e, rivolto a un gruppo di negri che fissavano cupi, sibilò: "Chi è stato?"

Subito un ragazzo con la giacca a quadri, la bocca piena di chewingum, si staccò dal muro.

"Io, uomo. Perché?"

"Non ti provare mai più, ragazzo."

"Cosa hai detto, uomo?"

"Ho detto non lo fare mai più, ragazzo."

Il ragazzo sputò lo chewingum che andò a cadere ai piedi di Richard.

"Lo farò ancora e quando mi pare, uomo."

"Io ti dico che non lo farai più, ragazzo."

"E lascialo perdere, Bill."

La voce di Richard era stridula: la voce di chi incomincia ad avere paura. Bill si irrigidì.

"Non lo vedi che è un moccioso, Bill? Un negro moccioso," insistette Richard.

Il ragazzo andò sotto Richard.

"Come hai detto, uomo?"

Richard gli voltò infastidito le spalle, fece il gesto di aprire lo sportello dell'automobile.

"Ho detto che sei un negro moccioso," rispose tra i denti.

"Ripetilo, uomo."

Richard spinse Giovanna verso l'automobile.

"Vieni, Giò."

"Nemmeno per sogno," disse Giovanna divincolandosi.

"Ripetilo, uomo."

Giovanna si piantò dinanzi al ragazzo.

"Te lo ha già ripetuto. Sei un negro moccioso."

"Ah sì?"

Il ragazzo la guardò. Poi guardò Bill. Poi guardò Richard. E si gettò sopra di lui.

"Bill!" strillò Richard.

Bill rimase un attimo fermo. Poi, veloce come uno schiaffo, si insinuò a braccia unite nel mezzo, li divise.

"Tu entra in macchina," ordinò a Richard.

"Tu vattene a casa," ordinò al ragazzo.

Richard ubbidì: chiudendosi nell'automobile. Il ragazzo ubbidì: scivolando via lungo il muro. Giovanna non si mosse.

"Nessun altro?" chiese allora Bill girandosi verso il gruppo dei negri.

"Certo, uomo."

Placidamente un negro si staccò dal gruppo. E poi un altro, un altro ancora: finché quattro fu-

rono in fila ad aspettare un suo cenno. Lui stava
lì, con la sua camicia perfettamente stirata, la
sua cravatta perfettamente annodata, la sua eleganza da Madison Avenue e i quattro negri
aspettavano un suo cenno.

"Avanti," disse Bill allontanando con uno spintone Giovanna. E fu un attimo. Subito i quattro
lo circondarono, lo coprirono, lo sommersero in
una valanga sorda di pugni. Subito Bill riemer-
se: imponente, diritto, infrangibile come un grattacielo di ferro, e a sua volta cominciò a menar
pugni ciascuno dei quali non mancava mai l'o-
biettivo prescelto. Più i negri picchiavano, più lui
picchiava. Più i negri si piegavano, più lui si er-
geva: incapace di cedere. Aveva i capelli sugli
occhi, la cravatta a sghimbescio, una manica
quasi strappata. Ma non cedeva. E attaccava,
anzi, come un toro fra i tori, mentre Richard
rannicchiato nell'automobile gemeva "Oh, Dio!
Oh, Dio!" e Giovanna guardava allibita ora l'uno
e ora l'altro. Poi il primo negro colpì Bill al naso, dalla narice gli colò denso un rivoletto di
sangue. E Giovanna, dimenticando Richard, si
buttò nella mischia. Si attaccò prima al negro
che aveva colpito Bill, poi a un altro, a un altro
ancora, e tirava pedate, schiaffi, tutto ciò che poteva, decisa anche lei come un piccolo toro, svelta, cattiva: e la cosa durò fino a quando non giunsero i due poliziotti sull'automobile grigia.

"Bene," disse Bill passandosi una mano sopra
i capelli e toccandosi il naso come se fosse stato un

163

oggetto prezioso che qualcuno aveva osato sfiorare. "Abbiamo avuto fortuna. Te lo avevo detto, Dick, che non era il caso di venire quaggiù."

"Me la sarei cavata benissimo anche da solo," brontolò Richard fissando il parabrezza.

"Lo so, lo so," disse Bill. Poi si tolse la giacca che aveva la manica definitivamente strappata, si aggiustò la cravatta e mise in moto.

"Vedi, Dick. I poveri non sono cattivi ma hanno il pessimo gusto di essere litigiosi coi ricchi."

"I negri, vuoi dire," brontolò Richard.

"I poveri, Dick. Bianchi e neri. Quanto a te, Giò, complimenti. Ti sei comportata proprio benino. Ti ho visto tirare una pedata che valeva un sinistro. Dove hai imparato?"

"A scuola," ringhiò Giovanna. E, ancora ansimando per la fatica, si asciugò il sudore, accese una sigaretta. Era infuriata. Non riusciva a capire, davvero non riusciva a capire, perché Richard si fosse rifugiato nell'automobile e ci fosse rimasto: lo odiava. Odiava anche Bill che era stato così coraggioso e lo aveva umiliato. Ma soprattutto odiava Richard, e così ripercorsero i larghi viali a spirale, con quel vento che entrava dal finestrino, quel caldo che veniva di sotto al motore, poi il Central Park, deserto sebbene fosse domenica, poi un tratto della Quinta Avenue, deserta perché era domenica, Bill a sinistra, Giovanna nel mezzo e Richard a destra: Richard mortificato, Giovanna infuriata e Bill zitto. Ciò che era accaduto era davvero terribile: tutti e tre lo sapevano. Significativo, avvilente come se avessero confessato i propri peccati nello stanzone detto Church of the Heir. E la colpa, concludeva ora Giovanna, era tutta di Bill che per primo aveva attaccato litigio. Quando Bill li lasciò dinanzi al Museum of Modern Art, lo salutò con raddoppiata freddezza.

"Non vieni con noi?" chiese Richard a Bill, quasi implorando di non restar solo insieme a Giovanna.

"Con una manica rotta e il naso che sanguina? No, grazie. Raccontale l'uragano, piuttosto. Le farà bene." E, con un rombo, partì.

Il museo era una faccenda noiosa, come tutti i musei. L'unica cosa che la colpì fu un cubo compresso di ferro, detto *The Yellow Buick*. Aveva le dimensioni di una grossa scatola e, spiegò Richard, un tempo era stato davvero una Buick gialla, poi qualcuno lo aveva compresso a quel modo perché in America si comprime tutto: i sentimenti, il coraggio, e la paura. Che Giovanna notasse. In quella scatola dura, dagli spigoli netti a coltello, c'era tutto quello che un tempo era stato automobile: i parafanghi, le ruote, la targa. Forse, ridotto alle proporzioni di un bambolotto schiacciato, c'era anche il padrone dell'automobile. Giovanna guardò con la fronte aggrottata, un senso di nausea che le serrava la gola. Con ciglia socchiuse cercò fra le lamiere contorte la traccia di un dito, un orecchio, un capello di colui che era stato il padrone dell'automobile e forse si

165

trovava davvero, ridotto alle proporzioni di un bambolotto schiacciato, dentro l'orrendo sarcofago. Gelidamente concluse che aveva fame: lui non ne aveva? Ne aveva anche lui. E così salirono a far colazione nello snack del sedicesimo piano dove Richard spiegò che potevano accedere solo i membri del club. I membri del club potevano anche affittare un Modigliani o un Picasso: e tenerselo in casa fino a trenta giorni. Questo era simpatico in America, vero? Oh, sì. Questo era molto simpatico.

Allo snack mangiarono zuppa fredda, carne fredda, patate fredde. Poi Richard le disse che aveva bisogno di aria e scesero a passeggiare per la Quinta Avenue. In silenzio si fermarono dinanzi alle vetrine addobbate, in silenzio si affacciarono sulla pista di ghiaccio del Rockefeller Center e guardarono gli innamorati che pattinavano, i genitori che pattinavano, i bambini che pattinavano: americani felici che, con due coltelli attaccati alle piante dei piedi, trascorrevano in letizia una giornata difficile. Gli americani felici erano vestiti di rosso, di azzurro, di tutti i colori; ed erano belli. Le donne avevano bellissime gambe e gli uomini avevano toraci robusti, i bambini erano biondi. All'angolo con la Quinta Avenue c'era invece un americano infelice, ed era un vecchio che vendeva caldarroste fuori stagione.

"Giò, vuoi le caldarroste?" chiese Richard con la premurosa gratitudine di chi è riuscito a spezzare un silenzio.

"Sì, caro. Le voglio," rispose Giovanna. E, alzandosi sulla punta dei piedi, lo baciò su una guancia. Sentiva per lui una tenerezza infinita, una infinita pietà. E quel sacchettino di carta, con dieci caldarroste fuori stagione, valeva in quel momento tutti i pugni di Harlem.

"Venticinque centesimi, prego," brontolò l'americano infelice.

Richard pagò i venticinque centesimi, poi cinse Giovanna col braccio e insieme ripresero a camminare lungo il marciapiede deserto, sotto i grattacieli senza colore. L'autunno incombeva col suo annuncio di freddo e le caldarroste scaldavano come un conforto le dita. Nel momento in cui essa le portava alla bocca, avevano anche un profumo: ed era un profumo di casa. Giovanna pensò che uno dei prossimi giorni avrebbe comunicato a Gomez la sua decisione di restare a New York.

X

"Dunque, baby: so che fili in perfetto amore con Dick. Tutta la città ne parla. Sai, New York è così piccola. Era lui il fantasma che avevi perduto?"

Giovanna nascose la lettera di Francesco, si appoggiò alla sedia. Poi guardò Gomez che stava in piedi, dinanzi alla sua scrivania, fissandolo dritto negli occhi.

"Sì. Era lui."

"L'avrei scommesso: naturalmente. Dick, eh? Uhm! Dick. Buon fotografo. Mah!"

"Sei venuto a sconsigliarmi?" chiese Giovanna, aggressiva.

"Oh, no! Io ho la stessa teoria di Goethe sugli errori: gli errori di un uomo lo fanno particolarmente amabile. Figuriamoci poi gli errori di una donna. La tua segretaria mi ha detto che desideravi parlarmi."

"Infatti. Posso venire nel tuo ufficio?"

"Come no? Dal momento che questo ti piace così poco."

Passarono nell'ufficio di Gomez. Gomez si buttò su una poltrona, accese un sigaro, e Giovanna si mise a camminare su e giù.

"O. K., baby. In cosa posso servirti?"

168

Giovanna si fermò, le mani allacciate dietro la schiena.

"Ho deciso di accettare quella proposta e restare in America."

"Ah!" Gomez tirò una lunga boccata dal sigaro, accavallò le gambe. "E quando hai deciso?"

"In questi giorni. La tua proposta è sempre valida, vero? Oh, lo so: mi son comportata come una romana morta di sonno, non sono venuta quasi mai in ufficio e ciò ti dispiace. Ma io lavoro a modo mio, te l'ho detto. E col tempo riuscirò anche ad accettare le vostre regole: la segretaria e tutto il resto."

"Baby, non invertire le parti: stavolta sembri tu a volermi convincere. Gomez non cambia mai idea: specialmente se una persona gli piace. Ti sei comportata a modo tuo: come farai sempre. Quanto all'acclimatarti, nessuno ne dubita. Sei il tipo che entro due anni avrà bisogno di cinque telefoni sopra la sua scrivania."

"È ovvio, comunque, che le condizioni devono essere le medesime alle quali accennasti. Altrimenti rinuncio."

Gomez la studiò attraverso la cortina di fumo.

"Duemila al mese e una carriera sicura. Stipendio quasi raddoppiato alla data dei cinque telefoni. Sede a tua scelta. Suppongo che ad Hollywood tu preferisca New York."

"Infatti. Quando firmiamo il contratto?"

"Appena ti sei sciolta da quello italiano. Non

preoccuparti se ci fosse da pagare dei danni: li liquido io. Chi si occupa, piuttosto di dare la bella notizia al rivale? Il vecchio andrà in bestia."

"Me ne occuperò io. Ha un debole, per me: quasi paterno s'intende. Non dimenticare che mi ha regalato due mesi per un lavoro che potevo fare in due settimane. Mi perdonerà anche il tradimento. La butterò sul patetico e... Naturalmente dovrò tornare in Italia, allo scader dei due mesi: per portargli il soggetto, sistemare altre cose, ottenere il permesso di soggiorno in America e via dicendo. O. K.?"

"O. K. Sei la donna più coraggiosa che conosca a New York. E quando assumi quel tono da colonnello mi fai quasi paura. Stride, sai, col tuo visino da madonna e i tuoi riccioli d'oro."

"Non sono una madonna, Gomez. E non ho nessuna intenzione di diventarlo. Faccio solo ciò che mi merita: dalla vita ho avuto lezioni molto più dure di quel che tu creda. Ho la faccia di una donna qualsiasi e passo per una donna qualsiasi perché mi agito poco. Ma dentro sono molto peggiore di una donna qualsiasi. A volte, Gomez, mi chiedo se non sia una donna sbagliata."

Gomez si alzò, la tenne un attimo per le spalle: scrutandola.

"Baby, va tutto bene, vero?"

"Benissimo, certo."

"Ne sei proprio sicura?"

"Sicurissima, certo."

"Hai gli occhi cerchiati, sei dimagrita. Ogniqualvolta ti vedo diventi più strana, più chiusa. Baby, mi raccomando: per qualsiasi cosa tu abbia bisogno, conta su di me. Voglio fare la tua fortuna, lo sai, ma voglio anche che tu riesca ad essere felice. Le due cose, purtroppo, non vanno sempre d'accordo."

"Ma io sono felice, Gomez. Non mi manca nulla."

"Speriamo."

"Perché? Non si vede?"

"No. Non si vede. Ho osservato decine di persone quando venivano qui ad annunciarmi d'aver scelto l'America e i loro occhi brillavano. Non facevano questioni di prezzo. I tuoi occhi non brillano affatto. Sono spaventati come quelli di una lepre che sta per essere uccisa. E ti preoccupi di cinquecento dollari in più."

"Me l'hai spiegato tu che qui conta solo il denaro. E poi ho fatto i calcoli: con le tasse e il costo della vita a New York, non è poi una gran cifra. Se resto è perché scelgo l'America, non perché guadagno qualcosa in più che in Italia."

"Solo l'America?"

"E che altro?"

Gomez la riaccompagnò nel suo ufficio. Mise un dito sulla busta di Francesco, col suo indirizzo di Roma.

"Come avrai osservato, non mi occupo mai delle faccende private degli altri. Nel tuo caso è diverso: sento come un dovere, una respon-

171

sabilità. E quello che ha mandato questa lettera?"

"È solo un amico."

"Un amico al quale hai spaccato il cuore: ci giurerei."

"Gli passerà."

"Come no? Passa tutto, a questo mondo. Tutto. Niente vale la pena, niente. Accidenti a me! Ho dieci telefoni sul tavolo e sono rimasto uno stupido."

Si allontanò quasi in collera. Giovanna mise la lettera di Francesco dentro la borsa e si preparò per uscire.

La lettera di Francesco diceva: "Giovanna cara, grazie per la tua brutale sincerità. L'America non ti ha dunque cambiata. No, non c'è niente da perdonare: quel che è successo era scontato in partenza, io lo sapevo prima di te. Ti auguro d'essere felice perché tu lo meriti più di quanto altri credano. Se però qualcosa cambiasse, ricordati che io esisto e ti aspetto. E continua, ti prego, a darmi notizie. Francesco."

Uscì per raggiungere Richard sulle scalinate della Public Library.

* * *

Richard aveva telefonato di buon'ora, quella mattina, e poiché Giovanna s'era dilungata a spiegargli che avrebbe avuto da fare in città, aveva proposto di incontrarla per il lunch.

"Non più tardi del lunch. Ho qualcosa di importante da dirti."

"Non puoi dirmelo subito?"

"No. È una sorpresa."

"Avanti, Richard. Non fare il bambino!"

"È una sorpresa, ti dico!"

Non si poteva resistere a Richard quando assumeva quel tono misterioso. Così avevano fissato di incontrarsi sulle scalinate della Library e ancora una volta Giovanna saliva i gradini anneriti che portano allo spiazzato di pietra, ancora una volta sedeva sul marmo consunto, tra gli studenti ed i vagabondi, ma con pensieri nuovi: ecco, era fatta. Sarebbe rimasta in America, sarebbe rimasta a New York: fra questi autobus verdognoli e goffi, queste automobili gialle e ingombranti, questi marciapiedi dove a mezzogiorno non arriva la luce del sole perché i grattacieli la parano tutta, questi rumori che spaccan gli orecchi. "E quando hai deciso?" "In questi giorni." In questi giorni, dopo aver capito che Richard aveva bisogno di lei, o nei primi giorni, dopo aver capito che questa città di giganti era fatta per lei? "Voglio fare la tua fortuna ma voglio che tu riesca ad esser felice." "Ma io sono felice, Gomez." Lo era? Lo era davvero, coi suoi sterili incontri con Richard, l'inutile prudenza con cui cercava di conoscerlo, l'attesa sempre rimandata di abbracciarlo in un letto, un sospetto che non riusciva a prendere forma? Sciocchezze, si disse. Richard era rimasto semplicemente sconvolto da una colpa che non desiderava ripetere e la felicità fissa non esiste. Esistono solo momenti felici: quelli nei quali si è molto stupidi o molto innocenti. In questo momento, ad esempio, era felice: perché Richard stava per arrivare.

Arrivò con il consueto ritardo, non era mai puntuale: "La puntualità è delle macchine, non delle creature," diceva. Piombò come una sorpresa: gaio, attraente, diverso da tutti, e vederlo le provocò un tuffo al cuore; del resto, provava sempre quel tuffo: mai placato dall'abitudine. Richard le porse una grossa scatola, piegandosi in un comico inchino.

"Odio i fiori. Li considero verdura che puzza di morto. Così ti ho portato una cosa che non è né morta né viva."

"Grazie, Richard. Cos'è?"

"Una bambola."

"Una bambola a me?!"

"Sì, non ti piacciono? Io adoro le bambole. Da bambino giocavo sempre con le bambole. Le lavavo, le vestivo, e qualche volta gli davo anche il latte."

"Richard, sei squisito e bugiardo."

"Sì, adoro le bugie almeno quanto le bambole. Questa si chiama Poor Pitiful Pearl. Povera Perla Pietosa. Si chiama così perché è povera e brutta. Guarda che naso. E poi ha le toppe sul grembiule."

Sedette accanto a lei sulla scalinata. Una cop-

174

pia strana si girò a guardarlo con insistenza un po' avida.

"È commovente, Richard. Pensa: questa è la prima bambola che abbia mai posseduto. Da bambina non mi piacevano."

Richard si agitò, si strinse con le braccia incrociate le spalle, dondolò su e giù.

"Non sei arrabbiata con me, vero?"

"Perché dovrei esserlo?"

"Perché l'altro giorno non feci a cazzotti coi negri."

"Odio gli uomini che fanno a cazzotti."

"Bill ha fatto a cazzotti. E anche tu."

"Bill è un attaccabrighe e io sono maleducata. Richard, non ci siamo incontrati per parlare di questo, vero?"

"Vedi? Detesti perfino ricordar l'episodio. Mi odiavi, l'altro giorno. Lo so. Ma se potessi spiegarti..."

"Non c'è nulla da spiegare e non ti odio. Avanti: qual è la sorpresa?"

"Te la dico più tardi."

"No, subito."

"Più tardi. Sono maligno e poi mi piace vederti sulle spine. Perdi quell'aria sicura, diventi più umana. Cosa hai fatto, stamani?"

"Niente di speciale."

"Non ci credo. Avevi una voce, al telefono! Sembrava che tu andassi a comprare l'Empire State Building."

"Avevo la mia solita voce e non ho comprato

175

nemmeno un mattone. Sono stata a parlare con Gomez."

"Perché?"

Giovanna accarezzò Povera Perla Pietosa. Si domandò se doveva comunicare a Richard la sua decisione. Si disse di no: probabilmente avrebbe rischiato di spaventarlo.

"Lavoro con lui, no? Dovevamo discutere sul soggetto. Gomez vuole una parte adatta a Paul Newman per il protagonista maschile."

"Ah!" fece Richard, deluso. "Andiamo a mangiare."

"Noi due ci vediamo solo per andare a mangiare."

"Qui ti volevo! Domani ci vedremo per qualcos'altro."

"Avanti, per cosa?"

"Per fare un viaggio."

"Un viaggio?!"

"Sì, breve. Dalla mattina alla sera. Ma un viaggio."

La aiutò a mettersi in piedi, si divertì ad incuriosirla fino a quando furono nello snack bar di fronte.

"Su, Richard. Dove mi porti?"

Richard agitò le dita, ad imitare un aereo che vola.

"Oltre il confine, laggiù dove l'acqua ruggisce e i gabbiani singhiozzano. Migliaia di gabbiani, milioni, e il dio americano non ti tormenta con la sua voce, e il rumore è silenzio: in Canadà.

Entro l'autunno devo fare un reportage di moda, alle cascate del Niagara: sai, per il paesaggio. Così domani vado a darci un'occhiata. Si parte alle otto e si torna alle sei. Te la senti di alzarti presto?"

"Perbacco!"

"Allora, stasera, niente cena. Andiamo a letto alle nove."

"Sissignore."

Era tanto contenta che, dopo il lunch, andò a comprarsi un impermeabile: alle cascate ne avrebbe avuto bisogno. Lo comprò rosso, e lo infilò subito malgrado fosse una giornata di sole. Poi andò a casa e, con l'impermeabile sulle spalle, aspettò che tornasse Martine. Martine, appena la vide, chiuse gli occhi inorridita.

"Mon Dieu! Dopo le lampade che mi hanno bruciato le pupille fino a mezz'ora fa! Come osi impormi quel rosso atroce?"

"Vado alle cascate del Niagara, Martine."

"Christian Dior! Non immagini cosa sia lavorare. Chi ha inventato questo odioso passatempo, mi dico! E Martine qui, e Martine là, e Martine muovi il mignolo, e Martine rizza il naso, e Martine tira dentro la pancia, e Martine questo è un abito non un grembiule! Ah, se avessi dato retta a San Luca! Lo diceva San Luca: 'Martine, il lavoro umilia, stanca, affatica'. Dove hai detto che vai?!"

"Alle cascate del Niagara, Martine."

"Ih, che schifo, che disgusto, che noia! Piove

di sopra, piove di sotto, ti bagni tutta, la messa in piega sparisce, il trucco si disfa. Mi ci portò un imbecille, due estati fa, e manca poco lo ammazzo. Dico: c'è niente di più stupido che portare una donna a vedere un po' d'acqua che casca? Qualcosa come fare il viaggio di nozze a Venezia o passare l'estate a Saint-Tropez. Chi ti ha messo in capo una simile idea?"

"Ci vado con Richard. Deve organizzarci un reportage."

"Figurati! Chi altro poteva portarti? Ah, i miei poveri piedi! Lo diceva San Luca: 'Martine...'"

Giovanna le voltò pacata le spalle: ci voleva ben altro per uccidere in lei l'entusiasmo. E quella sera andò veramente a letto alle nove, la mattina dopo era già pronta alle sei: col suo impermeabile rosso e nemmeno una stilla di sonno.

Richard invece aveva gli occhi più infossati del solito, quasi avesse dormito pochissimo o trascorso la notte in bagordi. La gaiezza del giorno avanti era spenta, dopo essersi allacciato la cintura di sicurezza si addormentò e si svegliò solo quando l'aereo fu fermo sulla pista di Buffalo che era una piccola città di provincia con le case di legno e il giardino davanti: la conferma di quanto fosse eccezionale New York. Il mattino era denso di bruma, l'autista della Ford presa a noleggio disse che non ci sarebbe stato sole, quel giorno: ormai la stagione era passata, anche le barche che portano i turisti a navigare nel fiume avevano sospeso il servizio, chi veniva laggiù con quel tempo? Sbadigliando Richard rispose che senza quel tempo non sarebbe venuto: detestava lo spettacolo delle cascate puzzolenti di folla, panini imbottiti ed hot-dogs.

"Viaggio di nozze?" chiese l'autista.

"Fratello e sorella," rispose Richard. E di nuovo si addormentò.

Ci volle un'ora di noia per giungere alle cascate. La strada era piatta, il paesaggio era squallido nel grande silenzio. Ma d'un tratto il paesaggio divenne una nebbia e il silenzio divenne rumore. Un rumore violento, come di una montagna che cade; una nebbia bianca, come una nuvola che sta per esplodere in pioggia: mentre Richard spalancava gli occhi e diceva: "Ecco, ci siamo. Non guardare, sciuperesti tutto, guarda per terra, ti dirò io quando è il momento. Autista fermi qui, per favore". L'autista fermò, Richard e Giovanna oltrepassarono un cancello di ferro, poi una sbarra di ferro che si abbassò allo scivolare di dieci centesimi, entrarono in un ascensore guidato da un inserviente sorpreso, l'ascensore scese, si arrestò in fondo a un pozzo, quasi sul greto del fiume. Uscirono per un corridoio di mattonelle, furono all'aperto. Richard le teneva una mano sugli occhi: "Cammina, non guardare. Non caschi, ti reggo. Non guardare, ti ho detto. Ecco, ora. Guarda!"

Non vide nulla, all'inizio. La nuvola li avvolgeva, più spessa del fumo, più opaca di un telo, e i miliardi di gocce, posandosi sulle sue ciglia, la accecavano costringendola a chiuder le palpebre. Doveva chiuderle e aprirle, per abituare la vista: come si fa dentro il buio per distinguer le forme. Solo che quel buio era bianco. Nel buio bianco udiva solo il rumore, apocalittico ora come un esplodere perpetuo di bombe: alimentate però da singhiozzi, da urla, da pianti che erano le voci dei gabbiani, disse Richard. Poi, a poco a poco, lo vide. E allora si aggrappò a Richard, e a lungo rimase col volto proteso, bagnato, il corpo proteso, bagnato, nel suo impermeabile rosso, bagnato, a pensare che non solo il cemento ma anche la natura incorrotta, in questo paese, raccontava una Terra Promessa.

Era un grattacielo di acqua che da uno spigolo tondo, lassù, precipitava abbandonandosi tutto nel vuoto. Liscio, prima, più di una vetrata, mosso dopo più di un mare in tempesta, si sfaceva sul fondo in un gorgo di schiuma: inesorabile come il pensiero stesso di Dio o dell'America in cui essa credeva. Intorno a quel gorgo, i gabbiani volavano bianchi e impazziti buttandosi a capofitto con strilli d'orrore, risalendo in un frullare di ali, e tutto era grigio: il cielo, l'acqua, e le pietre. Le ricordava qualcuno. Ma chi? Non Richard, sicuro. Richard stava lì, col suo corpo fragile, e battendo i denti diceva: "Andiamo, Giò. Finiremo col prendere un raffreddore". Non qualcuno che vedeva ogni giorno, o ammirava. Qualcuno, forse, che odiava. Ma chi?

"Andiamo, Giò. Dio che umido!"

Andarono. Risalirono con l'ascensore, furono di nuovo al di là della sbarra di ferro, poi del cancello di ferro, poi nell'automobile che l'autista aveva scaldato perché si asciugassero un poco, l'autista spiegava che le cascate sono in un'ansa a ferro di cavallo, l'ansa appartiene in parti uguali agli Stati Uniti ed al Canadà, gli Stati Uniti posseggono una cascata e mezzo, il Canadà solo mezza cascata, ora andavano in Canadà. E quella domanda la tormentava. L'acqua le ricordava qualcuno. Qualcuno, forse, che odiava. Ma chi? Chi? Attraversarono il confine col Canadà. Un poliziotto sotto il ritratto di Elisabetta II esaminò i passaporti e chiese se avevano nulla da dichiarare, Richard rispose di no, Giovanna fu per chiedere "Ma chi?" Guardarono la grande cascata di faccia ma non si fermarono perché era come vederla al cinematografo, entrarono dentro un edificio dove non c'era nessuno, di nuovo scesero con un ascensore dove non c'era nessuno, furono in un sotterraneo che immetteva in un tunnel: e quella domanda la tormentava. Ma chi? Chi? Prima del tunnel c'erano gli spogliatoi per mettersi gli stivali di gomma, il mantello di gomma, il cappuccio di gomma. Misero gli stivali che erano neri, il mantello che era nero, il cappuccio che era nero e, tutti ammantati di nero, identici ormai come fratello e sorella, si incamminarono lungo il tunnel che portava alle terrazze da cui si vedeva la cascata di dietro:

181

quella cascata era più piccola ma aveva un vantaggio, si poteva vedere dal dietro, nello spazio compreso tra l'acqua e la roccia. Il tunnel era deserto, i loro passi rimbombavano sul pavimento come cannonate moltiplicate dall'eco, ad ogni passo il fragore aumentava, ossessivo, e l'incedere delle due figure senza volto né mani né gambe né voce aveva qualcosa di macabro, annunciava qualcosa di perfido. Giovanna accolse come un regalo lo strappo di luce che era la prima terrazza e si avvicinò sorridendo alla ringhiera di ferro: ma qui il sorriso sparì. Era, infatti, un sipario di acqua: un sipario identico a quelli che calano sul palcoscenico alla fine dello spettacolo, aveva perfino le increspature e le frange. Solo che non calava, piombava: più duro di una parete di acciaio. E piombando incideva i massi di pietra come una lama, una gran ghigliottina, e ad ogni colpo di lama sembrava sentirsi staccare la testa dal collo, e le ricordava qualcuno. Mà chi? Chi?

Alzò il volto bagnato verso quello bagnato di Richard e glielo chiese: ma il fragore dell'acqua spengeva completamente la voce, si avvertiva soltanto il muto agitar delle labbra. Le labbra di Richard notò, erano storte in una specie di smorfia e i suoi occhi sbarrati erano pieni di acqua che assomigliava alle lacrime.

"Richard, mi ricorda qualcuno. Ma chi?"

"È la terrazza dei suicidi, Giò. Se alzi un braccio, te lo vedi spazzar via."

182

"Cosa hai detto?"

Quel rumore.

"Mi butto, Giò? Che ne pensi: mi butto?"

"Cosa hai detto?"

Quel rumore.

"Bill sostiene che non ne avrei mai il coraggio."

"Cosa hai detto?"

Quel rumore.

"Gli potresti raccontare che ho avuto coraggio, stavolta: che non è stata una disgrazia."

"Cosa hai detto?"

Quel rumore.

"E poi potresti metterlo dentro il tuo film. Queste cose vanno sempre bene in un film!"

"Cosa hai detto?"

Quel rumore.

Quel rumore terribile. Richard gridava, disperato, tutta la sua indecisione, la sua inguaribile ricerca di pace, e lei non udiva: vedeva soltanto quel muto agitar delle labbra, quella smorfia che assomigliava alla smorfia di un folle, quegli occhi pieni di acqua che non era acqua ma pianto.

"Richard, non si sente nulla! Andiamo, fa freddo."

"Giò, quanto sei stupida, Giò!"

"Andiamo, Richard!"

"Giò, ma che sei venuta a fare a New York?"

"Andiamo, Richard!"

"Giò, ma non lo capisci che hai fatto?"

« Andiamo, Richard! »

« Giò perché non mi aiuti almeno a fare questo? Sarebbe meglio per tutti, Giò! »

Richard scavalcò con la gamba destra la ringhiera di ferro e restò a cavalcioni, il mantello che quasi sfiorava la gran ghigliottina di acqua. E rideva, cosciente di quanto fosse grottesco il suo desiderio di morte e la sua paura della morte, quella posizione da bimbo che finge di andare a cavallo: ma nello stesso tempo piangeva perché lei non capiva.

« Richard, non fare il cretino! »

« Richard, è pericoloso! »

« Richard, ti bagni i pantaloni ti dico! »

« Richard, ti sembra il posto per mettersi a fare gli indiani? » E lo tirava, divertita, infastidita: ma le mani bagnate scivolavano su quelle bagnate di lui che rideva coi bei denti lavati dall'acqua e con le labbra diceva qualcosa che lei non capiva.

« Quanto sei stupida, Giò! »

« Be', mi hai seccato. Io me ne vado. Raggiungimi su. »

« Giò! »

Lentamente, timidamente, Richard portò anche la gamba sinistra dalla parte dell'acqua. Ora stava coi piedi sul limite esterno della terrazza e solo le mani lo reggevano alla ringhiera: un breve salto, una leggera spinta in avanti, e tutto sarebbe finito. Era solo, ormai. I passi di Giovanna, ignara, stizzita, si allontanavano sempre più rim-

bombanti nel tunnel. Che aspettava, allora? Dio!
Che aspettava? Nulla, si disse. E staccò una mano dalla ringhiera, si preparò a staccare anche
l'altra. Ecco, ora mi butto. Ancora un momento e
mi butto. Un momento piccolo piccolo. Ecco, è
passato. Mi butto. Oh, perché non mi butto?
Dio, fa' che mi butti. Dio, mammy, Bill, Giò!
"Giooò!"

Fu allora che udì quel rintronare di voci nel
tunnel, poi il grido di Giovanna che s'era volta-
ta al grido per sollecitarlo a raggiungerla.

"Richard! Che fai?!"

Si tenne forte alla ringhiera.

La riagguantò con l'altra mano.

La scavalcò dalla parte del tunnel: in tempo
per intravedere una comitiva di turisti fuori
stagione che veniva verso la terrazza, sghignaz-
zando, poi Giovanna che correva, scivolava, lo
agguantava, lo portava verso l'ascensore, gli to-
glieva l'impermeabile, il cappuccio, gli stivali.

"Richard, mio Dio! Cosa facevi laggiù?"

"Niente, giocavo. Perché correvi a quel
modo?"

"Imbecille! Per un attimo ho creduto che tu
ti volessi ammazzare."

"Ma va'!"

"Allora perché stavi lì? Cretino!"

"Mi divertivo."

"Bel divertimento. Guarda come ti sei concia-
to. Su, vieni."

E come se nulla fosse successo risalirono sul-

185

l'ascensore, furono nell'automobile ad asciugarsi la faccia, poi in un ristorante a mangiare tacchino arrostito: lei di nuovo allegra, lui appena nervoso.

"Hai trovato ciò che cercavi, Richard?"

"No, non credo che farò quel reportage."

"Perché?"

"Così."

"Richard, vuoi smetterla di fare il ragazzo? Mi tieni il broncio perché t'ho insultato, lo so. Ma ho avuto paura, ecco tutto."

"Chi tiene il broncio? Eri tu, semmai, che tenevi sempre la fronte aggrottata."

"Pensavo. Un'idea che mi pizzica dentro il cervello da quando ho visto la prima cascata. Ha qualcosa di umano quell'acqua, e insieme di disumano. Mi ricorda qualcuno, ma chi?"

Prese a mangiare, distratta. Smise di colpo.

"Ho trovato!"

"Cosa hai trovato?"

"Chi mi ricorda quell'acqua."

Richard si chinò sul tacchino.

"Bill! Mi ricorda Bill! Bill quando si arrabbia. Un uragano di acqua: coi cazzotti al posto dell'acqua."

Richard si chinò ancora di più sul tacchino.

"L'uragano è una cosa seria, Giò. Molto più seria."

"Figurati!"

"Te lo racconterò, un giorno. E allora capirai che è una cosa più seria."

"Raccontalo subito. È un mese che mi citate tutti e due l'uragano. E fatti raccontar l'uragano. E non sai l'uragano. E l'uragano a destra, e l'uragano a sinistra. Cosa sarà mai, questo uragano?"

"È la cosa peggiore che tu possa vedere in America. La prova di Dio."

"Figurati!"

Giovanna inghiottì un bel boccone. Richard, invece, respinse il piatto.

"Tu non ammetti, vero, che si possa credere nell'uragano?"

"No davvero."

"E nemmeno che si possa credere in Dio, vero?"

"Dio! Non ho voglia di pormi problemi metafisici. Me li posi a sedici anni, naturalmente non mi riuscì di risolverli, e da allora evito un tal rompicapo. Diciamo, se ciò non disturba, che credo solo in me stessa. È più comodo e più sbrigativo."

"E non credi nemmeno nell'America, vero?"

"Nell'America, sì."

"Non credi nemmeno nell'America: perché non credi nel business, nel conformismo, nella religione civile. Dell'America ti piace ciò che piace a me: la magia, la gloria, la follia. Sei ribelle più di quanto tu creda, sei cristiana più di quanto tu voglia, sei romantica più di quanto tu neghi: e perciò sei miscredente nei riguardi di Dio e degli Stati Uniti d'America."

"Cambiamo discorso, Richard."

Richard scosse lentamente la testa, come se non avesse udito ciò che essa diceva o non gliene importasse un bel nulla. Poi si passò le mani sul volto: il medesimo gesto di quella sera al Monocle. Continuò.

"Chiunque sia miscredente nei riguardi di Dio e degli Stati Uniti d'America, deve aspettar l'uragano perché solo quando viene l'uragano egli può credere."

"Lascia perdere, Richard."

"La radio, che è la voce del dio americano, lo annuncia molti giorni prima: affinché tu sappia che l'uragano giungerà e scoppierà per punirti e per distruggerti. La radio ti dice l'ora esatta e il minuto esatto, affinché tu sia pronto a difenderti e fuggire. Ma tu ridi perché sei miscredente e non ti prepari né a difenderti né a fuggire. Ridi della tua segretaria che dice: 'Devo affrettarmi perché arriva l'uragano'. Ridi degli americani che con la loro transistor all'orecchio seguono l'incedere dell'uragano. Ridi di tutti quelli che corrono a pigliar l'ascensore e quando l'ascensore è partito e tu resti solo nel corridoio ad aspettare un altro ascensore, non ti sfiora neppure il sospetto che sia troppo tardi: che fosse meglio prendere l'altro ascensore. Scendi, tranquillo. Arrivi alla subway, tranquillo. Guardi con ironia i credenti che sono già tutti in fila, per correre a casa. I credenti stanno lì, zitti e grigi, con la loro transistor all'orecchio, e nessuno

188

muove un muscolo, né si distrae, quando il treno arriva vi salgono in fila compatta, partono tutti nella stessa direzione come dannati nella valle di Giosafat: e tu, che credi di non essere dannato perché sei miscredente, resti sul marciapiede a vederli partire. Tanto, l'altro treno verrà..."

"Ti prego, Richard."

"L'altro treno però non arriva e tu incominci a sentirti colpevole d'esser rimasto sul marciapiede che è vuoto. Poi arriva e tu salti dentro ma ti senti ancor più colpevole perché è un treno vuoto che ti porta, in ritardo, nella valle di Giosafat. Cerchi di non pensarci, provi a ridere e la risata non viene, non viene nemmeno un sorriso, sicché scendi, esci dalla subway che è più vuota del tuo treno vuoto e sali all'aperto, per sorprenderti solo in una strada dove non c'è proprio nessuno. Nessuno, capisci? Né un uomo, né una donna, né un taxi, né un autobus, è tutto vuoto come quando eri ragazzo e giocavi a nascondino con gli altri ragazzi, vorresti gridare: 'Un due tre, fuori tutti!' Cerchi un caffè e i vetri son chiusi, le insegne son spente. Cerchi un portone e i portoni son chiusi, con i battenti coperti da lenzuoli imbottiti: come cadaveri ritti dentro un sudario. Cerchi un filo di vento e trovi un pesante calore. Fa caldo: perché sei solo e hai paura. Fingi di non avere paura: alzi lo sguardo e un tappeto nero si srotola in cielo. La paura ti aumenta. Fingi di ignorare che aumenta, ti incam-

189

mini lungo una avenue e guardi la strada che taglia la avenue come se dietro l'angolo tutto fosse finito. Raggiungi l'angolo, ti accingi ad attraversare: e ricevi uno schiaffo."

"Richard, stai zitto."

"Ricevi uno schiaffo, ti guardi intorno, smarrito, e ti accorgi che nessuno ti ha dato uno schiaffo. Fai un passo indietro, te ne vergogni, fai un passo in avanti, tenti di attraversare: il vento ti investe. Un vento cupo, rabbioso, che non porta niente con sé: né carta, né pantaloni che sbattono, né sollevar di gonne. Solo un vento sulla tua faccia ché se togli la faccia non c'è più il vento. Allora alzi di nuovo lo sguardo e vedi che un altro tappeto si srotola in cielo, ma più nero, il primo era grigio in confronto: ed è notte. Il tuo orologio dice che è giorno ma è notte. E in questa notte cammini piegato in due come un penitente, ti aggrappi ai pali, alle maniglie, a tutto quello che sporge, e giuri a te stesso che in futuro comprerai una radio transistor e vivrai con quella all'orecchio e prenderai l'ascensore che prendono gli altri, il treno che prendono gli altri e farai tutto ciò che Dio e gli Stati Uniti d'America vogliono. E piangi."

Ora Giovanna taceva. Richard aveva gli occhi pieni di lacrime e le stringeva i polsi come se fossero maniglie in un uragano.

"Piangi perché sei pentito, e invidioso. Sai che tutti sono a casa: con la birra, la moglie, i bambini, quei bambini vestiti come folletti, di giallo,

di rosso, quella moglie benvestita che guarda la
TV, quella birra fresca fresca, quella famiglia
che è salva perché ascolta la radio transistor,
perché crede nel business e nella religione civile,
perché è conformista in un paese dove conformismo vuol dire salvezza. E mentre sai questo la
pioggia incomincia a cadere. È una pioggia che
non viene dalle nuvole ma direttamente dal cielo; non è fatta di acqua, è fatta di ferro: fili di
ferro pesantissimi e duri, aghi divini che ti bu-
cano il viso, i vestiti, e ti riducono a un mucchio
di cenci che non hanno nemmeno la forza di
muoversi mentre ti accasci sulla soglia di un portone che qualcuno ha aperto per te. Resti sulla
soglia senza appartenere né all'uragano né alla
comunità, e con gli occhi implori il portiere che
ti guarda beffardo perché non appartieni né al-
l'uragano né alla comunità, e non ti viene incontro perché non lo meriti: perché hai disubbi-
dito all'America e a Dio. E questo dura finché
viene un uomo che è forte e ti raccatta, e ti
prende in braccio come un bambino, e ti dice
'stai tranquillo, non piangere', e ti porta su
fino a un sedicesimo piano, dentro una casa
con la birra e la TV, un tepore materno. E
mentre egli ti toglie quei cenci bagnati, ti conforta e ti scalda, tu capisci perché i grattacieli
hanno spigoli d'acciaio, a New York, e perché i marciapiedi sono bordati di ferro, e perché le automobili sono ingombranti, e perché

l'eleganza non conta a New York, né la grazia, né la raffinatezza, e perché le donne sono indipendenti e virili, e perché gli uomini si appoggiano sempre a qualcosa come se non avessero la spina dorsale, e perché le loro scarpe hanno suole volgari, perché la loro camminata è massiccia, da rinoceronti che sanno resistere alla pioggia ed al vento. Capisci perché New York non ha fontane né statue ma strade tagliate a coltello, senza nomi ma numeri, capaci però di resistere a una natura violenta per la quale ciò che è debole va distrutto: come lo distrugge la pioggia quando entra nelle scanalature e nei vani, ovunque vi sia debolezza, ed esplora tutto, bagna tutto, ti uccide se non hai trovato rifugio. Capisci, infine, perché la regola di Dio e dell'America è selezione, perché la sua è una legge da uomini, perché i valori spirituali sono valori terrestri, perché l'America è Dio uguale America uguale Business uguale America uguale Dio. E non c'è via di scampo: bisogna essere dalla parte di Dio uguale America uguale Business uguale America uguale Dio, altrimenti si è soli. Soli e dannati come me, capisci?"

Richard crollò con la faccia dentro le mani, incurante del cameriere che lo fissava sbalordito. Poi alzò una faccia disfatta e vecchia di cento e cent'anni: e un lungo singhiozzo salì alla gola di Giovanna ma nella gola si arrestò, insieme alle parole con cui avrebbe voluto consolarlo, spiegargli che non era solo né dannato perché essa lo amava ed era pronta a difenderlo da tutti gli uragani di Dio e dell'America. Invece, e come sempre, il singhiozzo scese giù nello stomaco, quasi una pillola, e dal suo volto di pietra uscirono sette parole.

"Richard, è Bill l'uomo che aprì il portone?"

"Sì, è lui."

"Richard, cos'è Bill per te?"

"È... l'uomo che mi ha salvato la vita."

"Richard, perché mi hai portato quaggiù? Perché mi hai voluto raccontare questa cosa? Perché Bill voleva che tu me la raccontassi?"

"Non so, non so. Forse per dimostrarti che non c'è salvezza per me... Forse per dimostrarti che lui è un uomo e io no."

"Richard, devi liberarti da quest'incubo e dalla gratitudine eterna per Bill. Nessuno muore per un temporale e Bill mente quando dice che ti ha salvato la vita. Mente per sentirsi più forte, più..."

"Su, Giò. Perderemo l'aereo se non ci affrettiamo. Ah, non era squisito il tacchino canadese? Mi sento sempre meglio dopo un buon pranzo. Vieni: mi intenerisci quando vuoi essere grave. Stasera ti porto al Latin Quarter: ammesso che le donne nude non ti scandalizzino. Ce ne sono di bellissime, sai? Non quanto te, si capisce."

Il Canadà era una macchia di verde. La giacca di Richard era ancora un po' umida. Le labbra di Richard erano fresche. Ma Giovanna pensava a Bill e lo odiava. Lo odiava al punto di non sopportare la vista di un uomo coi baffi, pensò quando un poliziotto coi baffi le restituì il passaporto. Che non lo incontrasse ancora, quel Bill. E pochi giorni dopo, invece, lo incontrò.

XI

Faceva freddo, quel giorno: il freddo che metallizza New York in autunno quando il vento condotto dal mare schiaffeggia le guance come un panno bagnato e la terra annerisce in un messaggio prematuro di neve. Il cielo era piombo e molta gente portava il cappotto. All'ottavo piano di Macy, Bill stava comprando una coperta da letto in visone. Giovanna si trovò addosso a lui prima che potesse impedirselo e Bill, continuando ad accarezzare il visone, senza nemmeno alzare la testa, disse: "Ciao, Giò."

"Ciao," rispose secca Giovanna.

"Ti piace il visone, Giò?"

"Non mi sono mai posta questa domanda. Me ne frego del visone."

"Oh, sì. Dimenticavo che non sei americana. Le americane adorano il visone, non sai? Commetterebbero qualsiasi delitto pur di avere il visone: compreso uccidere il proprio marito. È così che muoiono i mariti in America: strozzati da una striscia di visone."

Si lisciò un baffo.

"Naturalmente questa è la versione ufficiosa. La versione ufficiale è che muoiono di surmenage per comprare il visone alla moglie. E in Italia come uccidete i vostri mariti? Con il visone?"

"Io non ho marito."

"Lo avrai, lo avrai. Che ne diresti di un marito americano che ti regala il visone?"

Giovanna si inarcò come un gatto, si preparò ad attuare i feroci propositi che meditava nel Canadà. Ma con suo immenso stupore non vi riuscì.

"Senti, Bill. Io ho fretta. E tu stai scrivendo la scena di una commedia. Ciao."

Svelto, Bill la immobilizzò con un braccio e con la mano libera continuava ad accarezzare il visone. Involontariamente, e subito pentita, Giovanna pensò che il suo profumo di tabacco era buono, insinuante.

"Perché ti sono antipatico, Giò? E dire che tu non mi sei affatto antipatica. Mi piaci, anzi: ogni volta di più. Mi piace la tua risata, il tuo broncio, la tua villania. Se andassimo a letto mi piacerebbe perfino la tua cerebrale passione perché, sono pronto a scommetterlo, non v'è erotismo in te: solo cerebrale passione che non serve a nulla senza un tipo come me." Poi, rivolto alla commessa: "Prego, lo mandi al mio indirizzo. Pago in assegno."

"Non mi toccare, Bill. E va' a fare la corte a Martine."

"Martine!... La sua sapienza amorosa mi fa sbadigliare. V'è solo erotismo in lei, e del più banale. Può usarlo con tutti. Tu, invece, con chi potresti consumare la tua cerebrale passione se non con uomo che ti capisca: insomma con Bill?"

196

"Lasciami andare o ti piglio a ceffoni."

"Non prima che tu mi abbia spiegato pèrché ti sono antipatico."

"Non mi sei antipatico, Bill. Mi sei odioso. Stai sempre tra i piedi con la tua aria da supertitano che deride l'umanità, avvilisci chi non si crede padreterno come te, addolori Martine, rompi le scatole a Richard ed ora le rompi anche a me. Sei presuntuoso, egoista, malvagio. E vorrei tanto essere un uomo per pigliarti a cazzotti e spaccare cotesto muso gonfio di cattiveria."

"Oh là là!" esclamò Bill aggrottando la fronte, e sembrava decisamente annichilito. "Oh là là! Allora sei proprio un uomo, Giò cara. Un ometto vestito da donna e molto feroce. Meriteresti la lezione che detti a mia moglie. Minacciò di pigliarmi a cazzotti se non le compravo il visone. Io la licenziai e mi foderai di visone il cappotto. Come vedi, anch'io adoro il visone."

"Lasciami andare. Non sono tua moglie, non ho voglia di diventarlo e non chiedo visoni: né per le coperte né per i cappotti. Lasciami andare perdio!"

"No, mia graziosa lumachetta. Con questo braccio ti ho preso e con questo braccio ti tengo. Ora andiamo a bere un whisky e parliamo un pochino: da amici. Devo spiegarti alcune faccende."

La spinse verso la scala rotante. Giovanna si torse, rabbiosa.

«Nemmeno per sogno.»

«Stai ferma, Giò.»

«Lasciami!»

«Non essere sciocca, Giò.»

«Lasciami, ho detto!» E si divincolò.

Lui scosse piano la testa.

«Peccato. Vedi quanto è difficile seguire il Vangelo? Dar da bere agli assetati, dar da mangiare agli affamati, informare i male informati: come si può seguire il Vangelo se gli assetati vogliono aver sete, gli affamati vogliono aver fame, i male informati vogliono restare nella loro ignoranza? Peccato, peccato. E io che credevo... Quando parti, Giò?»

«Non parto, mi dispiace per te. Sto per firmare un contratto con Gomez, mi dispiace per te. Resto in America, signor Supertitano.»

«Ah, che piacere! Questa sì che è una bella notizia! Dimmi, Giò: resti per fare carriera o resti per Dick?»

Erano ormai giunti al marciapede. Stavano l'uno davanti all'altra e, con l'indice destro, Bill spostava il solito ciuffo che ricadeva, ostinato, su un occhio di Giovanna. Giovanna strinse le labbra di nuovo pensando, ma stavolta con ira, che il suo profumo di tabacco era buono, insinuante.

«Avanti Giò: resti per fare carriera o resti per Dick? Perché, se resti per Dick...»

«Non ti riguarda,» rispose Giovanna. E voltò le spalle fingendo di non aver visto la mano tesa di Bill.

XII

L'estate di San Martino esplose all'improvviso come una bolla di sapone. Una mattina Giovanna si svegliò con l'idea di avere un gran caldo e, malgrado le proteste di Martine che non sopportava nel sonno il più innocuo spiraglio di luce, spalancò tutte le finestre scoprendo il miracolo: l'aria aveva un profumo di erba sbocciata, le ragazze passeggiavano in camicetta e, per un attimo, sembrò a Giovanna di vedere perfino una rondine. Allora telefonò a Richard e Richard rispose ridendo che non era un miracolo giacché ogni anno si rinnovava in America come la cartella delle tasse.

"Noi la chiamiamo estate indiana. Ci prepara all'inverno che qui è molto rigido. Dovresti vedere il Connecticut di questa stagione. Vuoi andare in campagna?"

"Oh sì!"

"Bene. Tanto oggi è sabato, non ho nulla da fare. Se partiamo subito possiamo star via fino a domani sera. Che dici, chiedo l'automobile a Bill?"

"Ma sì, chiedila a Bill," rispose Giovanna con una alzata di spalle. Poi si vestì compiacendosi, una volta tanto, della sua immagine riflessa allo specchio: i pantaloni stavano bene sui suoi fianchi scarni, il pullover maschile le dava un tono spiritosamente equivoco, l'assenza di trucco la faceva assomigliare a un ragazzo.

"Sto bene, Martine?"

"Come no? Sembri un efebo."

"Piacerà a Richard?"

"Anche troppo."

"E tu cosa fai oggi, Martine?"

"Assisto impotente al disastro."

"Come hai detto?"

"Ho detto che sto in casa. Il sabato è consacrato al Signore. A che ora torni?"

"Non torno. Richard è libero fino a domani."

"Oh, Dio!"

"Martine non essere sempre catastrofica, ti prego," disse infastidita Giovanna. Poi, con impazienza, aspettò il colpo di clacson, si precipitò giù per le scale, salutò Richard esibendo spavalda i suoi pantaloni.

"Ti va?"

Sentì subito lo sguardo goloso di lui.

"Funny boy! Dovresti sempre vestire così."

"Anche tu. L'aria trasandata ti si addice più di quei funerei completi all'inglese. Dove andiamo, Richard?"

"Da Igor, un mio amico. E magari, stanotte, dormiamo in un motel. Sei mai stata in un motel?"

"No! Andiamoci, Richard!"

Non andavano sempre a finire nei motel gli

innamorati d'America? Quella prospettiva di intimità, così inaspettata, le aumentò l'allegria. Rise rovesciando la testa sulla spalla di Richard. Rise anche Richard. Ridendo imboccarono la strada lungo lo Hudson che era grande e lento come un fiume africano, con larghe sponde da cui i pescatori gettavano l'amo, un'aria di pace.

"Guardali, Giò, quelli sono cittadini che si salveranno: passano il week end a pescare secondo gli ordini del dio americano."

"Accidenti! Abbiamo dimenticato le canne."

"Non importa. I tipi come te si salvano sempre. Quanto a me, so quel che fare. Quando il dio americano mi chiederà conto dei delitti commessi contro il conformismo, io gli dirò: 'Signore, merito una riduzione di pena. Passai insieme a Giò il più borghese degli week end. Partimmo a mezzogiorno di un sabato e tornammo alle sette di una domenica. Non pescammo, Signore, perché non avevamo le canne. Però dormimmo in un motel. Non merito una riduzione di pena, Signore?' 'Ma la domenica mattina tu non andasti alla messa, Richard Baline,' tuonerà il dio americano in un tintinnare di dollari. 'No, Signore, dormivo. Però all'ingresso dell'autostrada fui finalmente capace di gettare il mio quarto di dollaro dentro la cassetta automatica e non costrinsi il poliziotto a chinarsi per raccattarlo.' Plic!" Il quarto di dollaro cadde dentro il cestino, la mira era giusta, il poliziotto sorrise. E così furono sul nastro di asfalto che si insinua nella campagna, poi a correre lungo le pareti di alberi che non erano verdi come i soliti alberi ma gialli, rossi, viola: quasi alberi di un altro pianeta o di un pittore impazzito.

"Richard, non è straordinario?"

"Lo è."

"Io credevo che l'America fosse tutta grigia, senza colori."

"Ne ha fino all'estasi."

"Richard, guarda quel bosco! Fermiamoci."

Fermarono l'automobile al limite di un prato, si inoltrarono lungo un viottolo, e il bosco era un tappeto di foglie gialle, rosse, viola, da cui spuntavano caute testoline di mammole. Uno scoiattolo impaurito fuggì in un balenare di coda, Giovanna allungò un braccio sui rami e i rami frusciarono come i rami della sua fanciullezza: quando il babbo la portava nel borro e insieme tendevano l'esca alle anguille, un filo massiccio di spago che col buio sarebbe diventato una collana di viscidi guizzi. Il torrente dove nascondevano l'esca era pieno di sassi che ruzzolavano via ad appoggiarci la punta di un piede, così il babbo diceva siedi e stai buona e lei sedeva a guardarlo sistemare lo spago che saltava nell'acqua mentre i vermi scolorivano in un rosa sempre più pallido. Poi tornavano su pel viottolo, il babbo davanti e lei dietro, raggiungevano il campo dei meli dove le mele cadevano con tonfi leggeri, passavano per la scorciatoia dove gli escrementi di pecora sembravano bacche, erano a casa dove la mamma friggeva i fiori di zucca, d'oro, croccanti.

"Fermo lì, Funny Boy! Hai un'aria così buona che la voglio stampare. Clic!"

"Sai, Richard, a volte penso che non esistono buoni e cattivi. Esistono solo momenti in cui siamo buoni e momenti in cui siamo cattivi. Tu, ad esempio, mi fai sentir buona. Bill mi fa sentire cattiva. Questo bosco mi fa sentir buona. Il Monocle mi fa sentire cattiva."

"Non voglio parlare del Monocle, e nemmeno di Bill. Cristo! Dici di odiarlo e poi hai sempre il suo nome in cima alle labbra. Sei a Niagara e parli di Bill. Sei nel Connecticut e parli di Bill. Sei a New York e parli di Bill. Manco tu ne fossi innamorata!"

"Richard, sai esser geloso?"

"Perché no? Ti dispiace?"

Fece due o tre giravolte, ridendo, si buttò a sedere accanto a lei ed ora le sue pupille avevano il colore delle mammole, i suoi capelli fiammeggiavano come le foglie, il suo corpo guizzava come la coda dello scoiattolo.

"Anzi. Mi fa molto piacere, Richard."

"Bene." Si mise a cogliere mammole. "Quand'ero bambino, mammy diceva: 'Richard non calpestare le mammole, Richard non uccider le mammole'. Però se gliele offrivo diceva: 'Che bravo bambino'. Che differenza c'è fra coglierle e calpestarle?"

Le porse le mammole.

"Che bravo bambino..."

"Uh, mammy!"

"Richard, com'è tua madre?"

"Un tipo in gamba: come te. Mi capisce, mi assolve e mi adora. Una volta schiaffeggiò un cavallo perché mi guardava con antipatia."

"Un cavallo?!"

"Certo. Tu schiaffeggeresti un cavallo per me?"

"Certo."

"Lo sapevo. Ah, il mio Funny Boy!"

Fece il gesto di abbracciarla ma nello stesso momento scorse una formica che si arrampicava faticosamente sopra il pullover e, scattando come se avesse visto una vipera, la schiacciò con la punta del mignolo. "Che schifo!"

"Richard! Che noia ti dava?"

"Nessuna."

"Allora?..."

"Uh, mammy! Su, andiamo."

Ripartirono e il vento passava sui capelli di Richard con la stessa dolcezza con cui passa sui campi di grano quando acquatta le spighe in ondate: Giovanna gli guardava i capelli e li amava a tal punto che qualcosa dentro di lei sembrava spaccarsi. Allora distoglieva lo sguardo, lo posava sopra l'asfalto, sugli alberi che scappavano svelti, e sull'asfalto, sugli alberi, fioriva l'immagine di una donna crudele che schiaffeggiava un cavallo. Il cavallo era marrone, aveva un occhio umiliato, e non muoveva neppure le zampe mentre la donna lo schiaffeggiava e diceva: "Come osi? Come osi?" Poi il cavallo svaniva, ed anche la donna, al loro posto fiorivano una formica ed un mignolo, il mignolo schiacciava la formica dicendo: "Che schifo!"

"A cosa pensi, Giò?"

"A nulla. E tu a cosa pensi?"

"A nulla."

Lui pensava al motel, veramente. E se invece di portarla in un motel l'avesse riportata a New York? Impossibile: la pazienza di Giò era durata anche troppo. Stasera egli doveva farsi coraggio e, lontano dai passi di mammy, dal fantasma di Bill, avrebbe sicuramente trovato i gesti di un uomo, la tentazione di amarla. Oh, Dio! E se non avesse trovato un bel nulla? Meglio riportarla a New York. Impossibile: le aveva già detto che sarebbero andati in un motel. Oh, Dio! Fa' che succeda qualcosa. Fa' che debba tornare a New York.

L'automobile rossa entrò in un viale di pini, si arrestò ai bordi di un prato. Al di là del prato c'era un cottage e uno stagno. In piedi dinanzi allo stagno, Igor pescava. Gli andò subito incontro, dondolando il corpo di vecchio.

"Salve, Dick. E questo bell'omino chi è?"

"Igor, questa è Giò. Giò, questo è Igor."

Igor porse la mano e scrutò Giovanna con la stessa attenzione di Bill, il pomeriggio che s'erano incontrati al Monocle.

"Figurati che guardandola da lontano dicevo: vedi Bill come s'è impicciolito. Benvenuta,

Giò. Ha fatto bene a portarlo quaggiù. Dick si fa vedere troppo di rado. Va meglio, Dick?"

"Va benissimo, grazie," rispose, un po' esitante, Richard. Poi, rivolto a Giovanna: "Igor è psicanalista. Di conseguenza sostiene che sono matto e vorrebbe curarmi. Ma io non sono affatto disposto a dargli i miei soldi". Poi, rivolto a Igor: "Attualmente sono in cura da Giò che non mi chiede neanche un centesimo".

"Povera Giò," disse Igor.

Aveva un'aria beffarda, anche lui. E fumava la pipa, anche lui. Ma il suo volto era anonimo, le sue spalle erano curve, e quando parlava non riusciva irritante: in questo senso assomigliava più a Gomez. Giovanna pensò che in un modo o nell'altro si assomigliavano tutti in America: solo Richard non assomigliava a nessuno. Richard, completamente dimentico di Igor e di lei, s'era messo a tirar pedate a un pallone: "Piglia questo, hop! Piglia quest'altro, hop!"

"Dick, vuoi mangiare?" gli gridò Igor.

"No. Ci basta un sandwich. Piglia questo, hop! Piglia quest'altro, hop!"

Igor scosse la testa.

"Dice sempre così. Poi butta in aria la cucina per cercare caviale e petti di pollo. Purtroppo mia moglie non c'è: temo che oggi la sua raffinatezza dovrà mortificarsi a mangiare carne in scatola. Venga, cara. Lasciamolo correre. Ha bisogno di sprecare l'energia assopita che è in lui. Lo conosce da molto tempo, cara?"

"Sì e no." Gli spiegò in poche parole la storia.

"Molto interessante. Che età aveva Dick a quel tempo?"

"Venti. E lei da quando lo conosce?"

"Da cinque o sei anni. Me lo portò Bill. Conosce Bill?"

Le lanciò un'occhiata veloce.

"Sì, lo conosco."

"Uomo inquietante, gran commediografo. Disse che Dick era rimasto sconvolto da un temporale e voleva che lo curassi. Ci provai ma fu fatica inutile. Non vuol confessarsi. Sostiene che il suo primo psicanalista morì e morirei anch'io. Viene a trovarmi solo perché questa casa gli piace. Dice che è l'unica in cui il dio americano non parli. Dick ha un'intelligenza viva, una fantasia molto spiccata. Peccato che non mi riesca curarlo. Dica, cara: era così anche a vent'anni? Oh, non dica nulla: e mi scusi. Il mestiere mi prende spesso la mano. Questa è l'accusa più frequente che mi rivolga mia moglie. Vede, io psicanalizzo gli altri e mia moglie psicanalizza me. Gli americani hanno sempre bisogno di essere psicanalizzati da qualcuno. Prego, la cucina è da questa parte. Mi aiuti ad aprire le scatolette."

Si misero ad aprir scatolette. Dalla finestra della cucina si vedeva un bosco di castagni e proprio davanti ce n'era uno con tante campanelline attaccate: il vento, sfiorandole, le faceva suonare con dolcezza. Giovanna pensò che era proprio un posto per ammalati di nervi, e che

Igor era un brav'uomo: forse il primo con cui si sentisse completamente a suo agio.

"Igor, perché ha detto a quel modo? A me l'America sembra un paese così sano. Uno arriva in America, esce per le strade e si chiede dove sia la gente ammalata: mai uno storpio, né un cieco, né un gobbo, mai uno che starnutisca, o tossisca."

"Fantasie, cara, fantasie. La nostra salute è del tutto apparente. Provi a trascorrere mezza giornata in farmacia. Si accorgerà che in nessun paese del mondo si vendono tante medicine quante in America. Chi ha male al fegato, chi ha male al cuore, chi ha male allo stomaco. E chi non è ammalato nel corpo è ammalato nell'anima. In una parola: complesso."

Tirò fuori il pane a cassetta, ne distribuì le fette su un piatto insieme al salmone e alla carne in scatola. Passò nel soggiorno, sedette su una poltrona.

"E sa qual è il complesso più diffuso in America? Per le donne è il complesso d'essere uomini, per gli uomini è il complesso d'essere donne. Il più delle volte è un complesso giustificato: nessuno di noi è un uomo fino in fondo o una donna fino in fondo. La nostra civiltà lo impedisce. D'altronde l'America mi piace proprio per questo, per il suo desiderio inappagato di salute e di perfezione. Un modo per cercar l'Assoluto. E a lei cosa piace dell'America, Giò?"

"La grandezza, credo: la potenza, l'indistrut-

208

tibilità. Tutto in America esprime forza: dai grattacieli alle cascate d'acqua. Tutto esprime sicurezza: dal denaro alla spavalderia. È un paese su cui non è passata la guerra, dove non si pensa alla guerra. Si gira per l'Europa e si trovano ancora case smozzicate, ricordi di paura. Si viene in America e..."

Igor sorrise con tristezza.

"Eh, sì: siamo un paese senza sfumature. Tutto bianco o tutto nero. E la gente lo vede senza sfumature. Tutto bianco o tutto nero. Non vorrei psicanalizzarla il giorno in cui ciò che era bianco ai suoi occhi come il paradiso diventerà nero come l'inferno. Ecco Dick. Ne aveva, stavolta, energie da sprecare."

Richard entrò saltellando.

"Cosa dici? Cosa dici?"

"Dico sposala. È proprio quello che ti ci vuole."

"Eh?!" sbiancò Richard guardando Giovanna. Giovanna non sbatté ciglio.

"Ho detto sposala ed hai capito benissimo. Se non la sposi tu che sei giovane e bello, la sposo io che son vecchio e brutto."

"Giò, tesoro, cos'è questo cadavere di pesce in scatola? Igor, disgraziato, cos'è questo pane geometrico su cui Pitagora dimostrò che il quadrato costruito sull'ipotenusa è uguale alla somma dei quadrati costruiti sui cateti? Ho fame, io! Non voglio teoremi né porcherie da spedire agli alluvionati di Formosa. Datemi un filetto:

ma che sia vivo, sanguinante, e muggisca tutto
l'orgoglio d'esser mangiato da Richard Baline!"

Scappò in cucina e Igor, lanciando un'occhiata inquisitrice a Giovanna che aveva seguito l'abile fuga con un sorrisino, lo seguì perché
non combinasse malestri. In quel momento, nemmeno lui immaginava che una giornata così calda ed innocua potesse preparare l'ultimo atto
della loro tragedia.

* * *

Sazio di cibo, Richard stringeva Giovanna e
Giovanna, a braccia conserte, subiva con evidente piacere l'abbraccio. Dietro la pipa, Igor ap-
provava con paterna mestizia. Il pomeriggio era
bello, intorno allo stagno le rane gracidavano e
nessuno dei tre, impigriti dalla digestione e la
sonnolenza, parlava. Fu Igor a rompere per primo il silenzio.

"Che notizia, eh?"

"Quale?"

"Via! Non ditemi che la ignorate."

"Ma quale?"

"Non avete letto i giornali?!"

"Oddio, no! Che è successo?"

"Non avete nemmeno ascoltato la radio?!"

"Nooo! Che è successo?"

"Roba da pazzi," brontolò Igor.

"Avanti, dillo," implorò Richard.

"Sputnik," disse Igor arrotondando la lingua.

"Sputnik cosa?" chiese Richard. E subito tolse il braccio dalle spalle di Giovanna poi si voltò, ansioso, verso Igor.

Giovanna aggrottò la fronte.

"Sputnik," ripeté Igor buttando un giornale con gesto quasi sprezzante.

Era il *New York Times* di sabato 5 ottobre 1957 e in prima pagina portava un titolo minaccioso: "La Luna Rossa Sopra l'America". Fra il titolo e l'articolo in neretto c'era il disegno di una palla di ferro: quasi uguale alle mine che durante la guerra galleggiavano in mare o approdavano dolcemente alla spiaggia per ammazzare qualcuno. Nell'articolo era scritto che il giorno avanti, venerdì 4 ottobre, i russi avevano lanciato alle stelle un satellite artificiale di ottantatré chili e seicento grammi, cinquantotto centimetri di diametro: che ora viaggiava migliaia di miglia sopra la terra a raccontare il trionfo di un grande paese che non era l'America. Una grande palla di ferro, lucida e liscia, con quattro aculei di ferro, lucidi e lisci, un marchio sopra, made in URSS: che se ne andava leggera nel vuoto e passando sopra l'America faceva beffarda: "Bip! Bip!"

"È uno scherzo," disse incredulo Richard. "Hai fatto comporre la pagina al negozio degli scherzi in Times Square."

"Non è uno scherzo. È l'inizio della sconfitta," disse Igor continuando a fumare tranquillamente la pipa.

"Davvero non è uno scherzo?!" gridò Richard

senza cogliere la parola sconfitta. "Ma allora è la notizia più fantastica che abbia udito da che sono al mondo! Pensa, Igor: il sogno che diventa realtà! Navigare dentro gli spazi, salire lassù tra le stelle, tuffarsi nell'infinito come raggi di luce. Igor, non è travolgente?"

Sventolava il giornale come un aquilone.

Igor continuò a fumare la pipa.

"È l'inizio della sconfitta, ti dico."

"Igor, sei pazzo? Cosa importa se il satellite è russo, americano o cinese? L'hanno lanciato degli uomini, Igor: uomini come te e come me, con due braccia e due gambe. E andranno sulla luna, andremo sulla luna. Igor, non ti fa impazzir d'entusiasmo? Giò, diglielo tu."

Giovanna restò immobile, con la fronte ancor più aggrottata.

Igor smise di fumare la pipa.

"È l'inizio della sconfitta, ti dico. Quanto all'andare sulla luna, la sola idea mi riempie di immenso fastidio poiché l'uomo avrà sempre gli stessi problemi: sulla terra, sulla luna, o su qualsiasi altro pianeta. E magari sulla luna non si può nemmeno pescare perché non ci sono né mari né fiumi né pesci."

"Igor, non mi ascolti," disse Richard chinandosi verso di lui come si fa coi bambini cocciuti. "Ascoltami, prego..."

"Ascoltami tu, piccolo idiota!" urlò Igor sbattendo la pipa sul tavolo mentre il tabacco schizzava in faville. "Ascoltami tu! Non c'è nulla di travolgente in questa palla di ferro poiché essa dimostra soltanto che loro sono più forti di noi. Manderanno altri sputnik, nel vuoto, e altri ancora. Manderanno le bestie, nel vuoto, e poi gli uomini. Andranno sulla luna e su Marte e su tanti pianeti, e forse ci andremo anche noi: ma a rincorrerli, sempre a rincorrerli, perché loro sono più forti, più poveri e più forti, più crudeli e più forti, più pazzi e più forti. E mentre li rincorreremo tra i pianeti e le stelle costruiranno le bombe, costruiremo le bombe, o una bomba sola: lucida e liscia comé questa palla di ferro, con la morte concentrata in un chicco di rena. E guai al giorno in cui essi saranno tanto più forti, più poveri, più crudeli, più pazzi e più forti da lasciar cadere quel chicco di rena, micidiale come un bruscolo nell'occhio di Dio. Forse quel giorno è lontano, molto lontano: ma io sento già l'ululare delle sirene, quel lamento straziante che annuncia un aereo, due aerei, venti aerei col chicco di rena, quell'urlo impotente che avverte che tra cinque minuti, quattro minuti, tre minuti, due minuti, un minuto, il chicco di rena cadrà. E i pochi che si salveranno saranno costretti a vivere sotto la terra, nel buio come i topi: e così diventeremo una nazione di topi con pallidi occhi che vedono solo nel buio perché un filo di luce li acceca, con gracili membra che non possono trascinarli su dalla tana a guardare il desolato paesaggio di città frantumate, dissolte, grattacieli ridotti a una manciata di sassi. Sei tu il pazzo, Richard Baline! Sei pazzo perché non capisci. Sei pazzo perché non vuoi vivere lo spazio di tempo che ci resta da vivere. Ah, Dio! Ce l'avete voi il tempo. Usatelo per dormire insieme e ridere insieme ed amarvi. Cosa state qui a parlar dello sputnik? Fuori c'è il sole e i vostri occhi non sono pallidi."

Richard si scosse, un po' spaventato.

Giovanna inghiottì, incapace di dire qualcosa, rigida: esisteva dunque qualcuno in grado di far paura alla Terra Promessa e umiliarla? Esisteva dunque qualcuno in grado di sbeffeggiarla e distruggerla? Guardò Igor che con rassegnata stanchezza raccattava la pipa, spazzava la cenere: e per un attimo si sentì quasi tradita perché era un americano sconfitto che spazzava la cenere, il primo americano sconfitto che avesse visto nella sua vita. Guardò Richard che con mortificazione pensosa piegava il giornale, lo rimetteva sul tavolo: e per un attimo si sentì quasi imbrogliata perché era un americano senza orgoglio che rimetteva il giornale sul tavolo: il primo americano senza orgoglio che avesse mai agguantato il suo braccio.

Richard agguantò il suo braccio.

"Bene, Giò. Andiamo."

"Dove? Andiamo dove?"

"A New York. Il giornale dice che stasera lo sputnik dovrebbe essere sopra New York."

"E con questo?"

"Mah! Così..."

214

"Che significa 'così'? Io voglio vedere il Connecticut."

"Lo abbiamo già visto il Connecticut. Lo vedremo meglio la prossima volta."

"Io me ne frego della prossima volta. E me ne frego anche del tuo preziosissimo sputnik. Intendo restare in campagna e dormire in un motel."

"Dormiremo un'altra volta in un motel!"

"Piantala, Richard!"

"No!"

"Richard!"

"No, no, no!" strillò Richard e batteva i piedi come un bambino bizzoso che è abituato ad ottener ciò che vuole.

Giovanna lo fissò sbalordita, poi fissò Igor: quasi a chiedergli aiuto. Igor allargò le braccia, sconsolato, e le sue labbra disegnarono una specie di smorfia.

"Non è un giocattolo, Dick. È un ordigno che corre alto e veloce. Non riuscirai a prenderlo in mano anche se vai a New York."

"Be', io ci vado lo stesso."

"È stupido, Dick."

"Me ne frego."

"È stupido lo stesso, Dick."

"Insomma, ce l'avete tutti con me?"

Giovanna lanciò un'altra occhiata a Igor, stavolta per dirgli che era inutile insistere, e cinse con un braccio Richard.

"Ci andiamo, Richard. Ci andiamo. Ma càlmati. Ciao, Igor."

"Ciao, Giò."

Partirono senza che Igor facesse un secondo tentativo per trattenerli. L'indifferenza, ora, sembrava gelarlo. E di nuovo imboccarono il nastro di asfalto, di nuovo sfrecciarono lungo le pareti di alberi, col vento che passàva sui capelli di Richard: ma gli alberi non erano più gialli rossi e viola, erano verdi come tutti gli alberi del mondo; il vento non acquattava più i capelli di Richard come quando passa su un campo di grano, li spettinava come un vento qualsiasi su capelli qualsiasi; l'aria non sapeva più di erba sbocciata, sapeva soltanto di polvere. L'estate di San Martino era finita, di colpo. E mentre le cose rientravano in una banale realtà, equivoci ed illusioni sparivano, un imbarazzato silenzio calava tra loro, Giovanna non riusciva a provare tristezza, rabbia, dispetto: si chiedeva soltanto che uomini fossero questi uomini in grado di sbeffeggiare la Terra Promessa. Davvero più forti di Bill, di Gomez, di Igor? Non sapeva niente dei russi. Non l'avevano mai interessata malgrado Dostojewski e Tolstoi. Il solo russo che avesse mai conosciuto era stato quel prigioniero portato dal babbo dopo la fuga di Richard: e le veniva da ridere all'idea che un tipo come lui potesse lanciare satelliti in cielo, la morte sopra New York. Wladimir era grasso come un prete di campagna e stava sempre zitto in un angolo: con quell'aria da bestia ferita, quegli occhiali da miope, quelle cosce enormi che lo obbligavano a tener scostati i ginocchi, quella pancia stretta nella giacca da cui saltava ogni tanto un bottone. Poteva star zitto per intere giornate, mentre i bottoni facevano tac! nel silenzio, e si scuoteva dal suo torpore solo per ripetere senza ragione: "Spasibo, spasibo!", oppure per dire: "Uno momento", e sedere dinanzi ai suoi vocabolari di russo, italiano e tedesco. Sapeva soltanto un po' di tedesco e così traduceva dal russo in tedesco, poi dal tedesco in italiano, traducendo tirava fuori la lingua alla maniera dei bimbi che fanno le aste, infine porgeva quei fogli quasi fossero un fiore: e lei li bruciava dentro la stufa perché non restassero tracce. Scriveva: "Ovunque guerra passare lasciare sanguinosa traccia. Guerra io odio". Scriveva: "Un giorno Wladimir ricostruire suo paese e fare potente paese spazio infinito". Al che lei rispondeva con una spallata: "Ma che vuoi ricostruire, ciccione! Non vedi che caschi?" Lo odiava perché aveva preso il posto di Richard ed ora dormiva nel medesimo letto, il suo letto. Lo odiava perché Richard era morto e lui era vivo. Per tanta ingiustizia non si commoveva neanche quando egli chiedeva l'atlante geografico, cercava la pagina dov'era la Russia, appoggiava il ditone sulla Siberia e mormorava: "Mein Mutter", mentre le lacrime gli gocciolavano di sotto gli occhiali e cadevano con piccoli tonfi sulla Sibe-

217

ria. "O creaturina santa, gli hanno deportato la madre in Siberia!", diceva la mamma per cui la Siberia era solo un'immensa prigione. Ma lei scuoteva le spalle come a dire chi se ne frega, e il giorno in cui Wladimir era partito per tentar di passare le linee che non sarebbe riuscito a passare perché così grasso non poteva correre a lungo, lei non aveva nemmeno risposto al suo "Spasibo, spasibo". Richard era partito senza un pezzo di pane, pensava, e s'era molto irritata a vedere come la mamma gli riempisse la borsa di cibo: un pollo arrosto tagliato con cura, un dolce fatto con la saccarina, una bottiglia di buon vino rosso; come se invece di andare a morire fosse andato a fare un pic nic lungo il fiume.

"A cosa pensi, Giò?"

"A nulla, Richard."

"Non sei mica arrabbiata perché non andiamo nel motel?"

"Figurati, Richard."

"Non sei mica impressionata dai discorsi di Igor?"

"No, no."

"Igor esagera sempre, non capisco perché fosse così catastrofico. Invece d'essere contento! Ah, non è straordinario essere nati in questa stagione dell'umanità?"

Ora l'automobile rossa correva lungo lo Hudson e il profilo dei grattacieli era un ricamo nero contro il rosa del cielo, anche l'aria era rosa per il tramonto precoce: ma Giovanna non se ne accorgeva perché fissava l'asfalto e pensava, con amarezza, quanto fosse "straordinario" essere nati in questa stagione dell'umanità. A un muro due negri col bavero rialzato, il berretto calato fino agli orecchi, si esaminavano con tristezza le scarpe. Avevano letto anche loro la bella notizia? Sotto il semaforo un poliziotto pallido alzava di malavoglia il bastone e le sue dita erano flosce, di cera. Aveva perso anche lui una giornata di sole? E Richard? Avvertiva l'incertezza, Richard? Ma no: lui galleggiava spensierato nel suo solito mondo di sogni, di puerili entusiasmi, di poetica incoscienza. Gli accarezzò la nuca, indulgente.

"Davvero straordinario, Richard."

Lui rispose con un grande sorriso.

"Vedrai, Giò, dove ti porto."

"Dove mi porti?"

"Dai russi."

"Ci sono russi, in America?"

"C'è tutto, in America."

Attraversò a gran velocità due o tre avenues, fu nella Cinquantaquattresima, fermò con uno stridore di freni dinanzi ad una vetrata su cui era scritto "Russian Tea Room", le aprì lo sportello con un inchino, la spinse all'interno dove un cameriere con gli stivali di cuoio, i calzoni gonfi, la camicia russa, abbottonata da un lato, gli andò incontro insieme a una vecchia con la gonna lunga fino alle caviglie, la camicetta di lino, la coroncina in testa: come nelle oleografie della Russia zarista.

«Sputnik, Richard Baline.»

«Sputnik, Anastasia.»

«Richard, sono americani anche loro?»

«Certo che sono americani. Pagano regolarmente le tasse.»

«Allora perché dicono Sputnik invece di buonasera?»

«Perché sono contenti. Non ti piacciono?»

«No. Non mi piacciono. Mancano di orgoglio. E poi non c'è ragione per essere contenti.»

«Smettila, Giò! Non fare la Cassandra come Igor!»

«Non faccio la Cassandra. Dico solo che mi indignano. Certo scapparono dalla Russia, anni addietro. Come possono non amare il paese che offrì loro rifugio?»

«La loro patria è la Russia.»

«La loro patria è l'America ormai. E, se non fosse così, quale paese sarebbe mai questo che non riesce a farsi amare nemmeno da coloro cui offre rifugio?»

Richard, però, non ascoltava. E rideva, beveva vodka, rideva: ripetendo con gli altri la misteriosa parola che in italiano faceva pensare allo sputo. «Sputnik!» Tra gli altri c'era un uomo coi baffi di carta che ad ogni sorso alzava il bicchiere verso un'icona con la Madonna e il Bambino, poi gridava: «Sputnik, Maria! Sputnik, Gesù!»

"Non è emozionante, Giò?"

"Certo, Richard. Molto emozionante."

"Allora perché tieni il broncio, Giò?"

"Ma no! Sono attenta."

Invece pensava: "E se Igor avesse ragione? Se l'America fosse un miraggio? Se Richard fosse un equivoco? Allora io che faccio, dove vado, in cosa credo?" E disperatamente cercava un conforto a quel dubbio improvviso, ancor più disperatamente si augurava di non avere sbagliato, di non lasciarsi prendere dalla paura che suo malgrado cresceva e le paralizzava la gola, il cervello.

"Ehi, Dick!" disse l'uomo coi baffi di carta. "Perché non andiamo a casa di Hultz? Dà uno sputnik-party, stasera."

"Come no! Andiamo, Giò."

"Richard, è impossibile. Io ho i pantaloni, tu hai il pullover. Dovremmo almeno cambiarci."

"Che importa? È una serata speciale, nessuno ci guarderà. E poi non te l'ho detto che mi piaci molto di più vestita così?"

"Non essere ridicolo, Richard."

"Ah! Il mio Funny Boy!"

La trascinò fino all'automobile, insieme all'uomo coi baffi di carta. In pochi minuti furono dinanzi alla casa in Central Park, poi all'ultimo piano dove Hultz immancabilmente ubriaco riceveva gli ospiti col bicchiere in mano.

"Sputnik, Giò. Sputnik, Dick. Avete fatto bene a venire."

221

«Sputnik, Hultz. Lo sai che Giò non voleva venire?»

«Sputnik, sciocchezze!»

«Sputnik. Sputnik. Sputnik.» Dicendo sputnik si stringevano la mano, si abbracciavano. Dicendo sputnik mangiavano insalata di gamberi e storione bollito. Dicendo sputnik si pavoneggiavano nei dinner jackets, negli abiti scollati. E mentre dicevano sputnik, non si accorgevano di Giovanna e Richard che avanzavano in pantaloni e pullover: quasi che i loro occhi fossero già stati bruciati dalla grande vampata. Lo sputnik era tutto ciò che vedevano, il filo conduttore di ogni discorso, la generale ossessione.

«Siamo sinceri: lo sputnik è un trionfo americano. Il padre dei rockets non fu forse Robert Hutchings Goddard?...»

«Mi sembra sottinteso che solo attraverso il marxismo si arriva a conquistare gli spazi. La struttura della società capitalistica non consente una adeguata preparazione scientifica...»

«Il fatto che i russi siano arrivati per primi costituisce, Madam, l'aspetto più triviale dell'avvenimento. È il trionfo della intelligenza umana sulle forze della natura, che conta...»

«Questa è una seconda Pearl Harbour, ti dico...»

«Certo, se scoppia la guerra...»

«Certo, se scoppia la bomba...»

«Quando scoppia la guerra...»

«Quando scoppia la bomba...»

"La guerra... la bomba... la guerra..."

Richard e Giovanna entravano in mezzo a quei discorsi frantumati e la fronte di lei si aggrottava sempre di più, il sorriso di lui diventava sempre meno contento. Sì, pensava Richard, la scusa per non portarla in un motel l'aveva trovata: ma a che prezzo, perbacco! Sì, pensava Giovanna, lo spirito con cui questa gente accettava lo smacco era sportivo: eppure bastava un popolo di Wladimir umili e grassi per gettare in ciascuno di loro un cupo spavento. Sì, pensavano entrambi, forse Igor aveva ragione: forse lo spazio di anni che restava da vivere era molto più breve di quanto credessero. E in questa paura che lentamente prendeva anche loro si cercavan con gli occhi, le dita, il silenzio: patetici e buffi nel loro abbigliamento sbagliato, nel loro amore sbagliato, nella loro speranza sbagliata. Ma speranza di che?

Non v'era speranza in ciò che diceva l'ospite d'onore di Hultz e al quale Hultz avrebbe finanziato una nuovissima impresa. "Sì, ho intenzione di preparare un disco dal titolo *Se la Bomba cade* e metterlo in vendita a novantanove centesimi onde i più ignari sappiano come difendersi. Se la bomba cade, dirò, l'importante è il desiderio di sopravvivere: vale a dire possedere uno shelter che è un banale rifugio antiatomico e costa quanto un visone o una Buick. Il cittadino che si compra lo shelter è uomo sensibile e solido, ama la propria famiglia. Dentro lo shelter avrete tutto ciò che vi occorre: acqua, cibo, la radio transistor. Vi potrete restare anche due settimane: insieme al conforto d'essere vivo mentre gli altri sono un'ombra stampata sul muro, ricordate Hiroscima? Sì, Madam: io e il signor Hultz stiamo per aprire una industria di shelters, rende più del cinematografo. Convinca suo marito, Madam: ne avremo di ogni prezzo e dimensione, il nostro piano triennale prevede uno shelter economico da duemila dollari; in tempo di pace, sfruttabile per la coltivazione dei funghi. Lo shelter elegante costerà invece sui ventimila: ma finché dura la pace potrà essere usato come piscina..."

"Hai fame, Giò?"

"No, Richard. E tu?"

"Nemmeno un poco? Cosa abbiamo mangiato alla Russian Tea Room?"

"Niente. Abbiamo bevuto la vodka."

"Oh, carini, carini! Bevete la vodka anche voi? Io lo dico sempre che la vodka contiene meno calorie del whisky: ah, sempre furbi quei russi," strillò la moglie di Hultz. Richard le lanciò un'occhiataccia.

"Sai, Giò. Vorrei non essere tornato a New York."

"Pazienza. Ora ci siamo."

"Vado a prenderti un poco di whisky, Giò?"

"Bravo, grazie."

Lo guardò allontanarsi verso il tavolo delle bottiglie. Sedette, estenuata, tra la moglie di

224

Hultz e il tipo che vendeva gli shelters.

"Il problema, mio caro, non sarà quello di possedere uno shelter. Sarà quello di non dividerlo insieme agli estranei che, quando sono dentro, ti bevono l'acqua, ti consumano le scatolette e ti respirano tutto l'ossigeno..."

"Ma, cara signora, dentro lo shelter bisogna tenere un fucile!"

"Giovanotto, io sono cattolica. Non potrei mai ammazzare altri figli di Dio."

"Qui la volevo, mia cara signora! Prima di firmare il contratto con Hultz ho telefonato al mio confessore, un gesuita coi fiocchi, e gli ho posto il problema: come comportarsi con gli estranei che vogliono entrare dentro il mio shelter quando sta per scoppiare la bomba? Ecco quel che mi ha detto: 'Sparare, figliolo, sparare'. O noi o loro, s'intende."

"Quand'è così..."

Giovanna si alzò, carica d'ira. Possibile che fossero tutti uguali, là dentro? E Richard dove s'era cacciato? Voleva andarsene: subito. Si avviò verso la porta e fu allora che udì una voce: alta sopra le altre, carica di dignità.

"Basta, perdio! Mi avete rotto le scatole! La guerra non è una partita di baseball e la morte non si sfugge coi vostri quattrini. Se la guerra dovesse scoppiare non sarebbe la fine dell'America, sarebbe la fine del mondo. Non abbiamo nulla da temere fuorché la paura. E chi ha paura è un vigliacco!"

225

Conosceva quella voce. Era la voce di Bill. Lentamente Giovanna tornò sui suoi passi. Gli andò incontro.

"Ciao, Bill."

"Ciao, Giò. Non sei più arrabbiata con me?"

"Molto meno."

"E non hai paura della bomba?"

"Molto meno."

"E Dick, cosa dice?"

"Ah! Sei qui, Bill," disse Richard arrivando con due bicchieri di whisky.

"Sì, Dick. Non sai che io sono dappertutto? Lo dice anche Giò."

Richard si strinse a Giovanna.

"Ti piace il mio Funny Boy?"

"Mi piace: non ama il visone," rispose Bill prendendo il whisky di Richard. "E malgrado questo resterà negli Stati Uniti d'America."

"Giò! È vero?!"

"È vero, Richard."

"Perché non me lo avevi detto?"

"Non ero sicura che ti facesse piacere."

"Ma è splendido, Giò!"

"Bene. A quanto pare siamo tutti contenti," ridacchiò Bill. "Possiamo spostarci alle finestre e guardare i fuochi di artificio. Il nostro Hultz sostiene che a quest'ora lo Sputnik dovrebbe passare sopra New York. Sentite come gracchia la gentildonna pronta a sparare sui figli di Dio."

"Laggiù, laggiù!" strillava, infatti, la signora Hultz. E tendeva il dito dall'unghia laccata verso una stella mentre tutti fissavano ubbidienti la stella e dicevano "Oh!"

"Ma no, cara. Manca ancora un minuto," replicava Hultz.

"Il tuo orologio va male, darling."

"Il tuo oculista va male, darling."

"È il migliore oculista di New York. Settanta dollari a visita."

"È il migliore orologio di New York. Duecento dollari senza il cinturino."

Richard e Giovanna si trovarono staccati da Bill, poi schiacciati contro una finestra: a guardare una tazza bluette, punteggiata di stelle.

"Vedi nulla, Giò?"

"No, Richard."

"Nemmeno io ma non m'importa."

"A me ancora meno."

"Davvero resterai in America, Giò?"

"Davvero."

"Era ciò che speravo, Giò."

"Richard, ti ricordi la notte del bombardamento quando eravamo alle finestre a guardare i bengala?"

"Mi ricordo."

"È un po' la medesima cosa, vero?"

"È un po' peggio."

"Richard, non sopporto l'idea che questa città possa esser distrutta: o questo paese. È un grande paese. Eppure credo che Igor abbia ragione."

"Anch'io."

"Se ci resta poco tempo, Richard, perché sprecarlo così?"

Richard le andò più vicino e il torace ossuto le accarezzava le spalle, l'inguine le accarezzava le reni: l'estate di San Martino aveva di nuovo il sapore di erba sbocciata.

"Giò..."

"Sì?..."

"Ecco... dicevo... che cosa straordinaria ed idiota... hanno buttato una palla di ferro nel cielo e per via di questo ci ritroviamo quasi nemici, poi per via di questo..."

"Andiamo a casa, Richard. A casa tua."

"Sì, Giò."

Uscirono senza salutare nessuno e quella notte non ci fu musica, non ci furono lacrime. Non ci fu la luce azzurra del Gordon's Gin e non ci fu whisky. Per tutto il tempo che la Cosa durò, non ci fu solitudine in nessuno dei due, né paura. Come complici che l'errore rende ancora più complici, riuscirono quasi ad amarsi: quando egli giacque, sulle sopracciglia ricciute brillava, simile a gocce di rugiada, il sudore. Ma all'alba, mentre lei si assopiva inconsciamente chiedendosi cosa vi fosse di erroneo o incompleto nella Cosa con Richard, piovve dal soffitto il solito rumore di passi.

"Richard, cos'è?"

La testa affondata dentro il guanciale, la sigaretta alle labbra, Richard sorrise il sorriso speranzoso di un convalescente che vede ormai prossima la sua guarigione.

"È mammy, tesoro. Le avevo detto che non sarei tornato ed evidentemente si è accorta che sono qui. Una di queste sere andiamo a cena con lei: devi conoscerla. Ti va?"

"Mi va."

I passi si fecero sordi.

XIII

"Male," diceva Martine camminando su e giù per la camera. "Malissimo. Io non credevo che la faccenda fosse a quel punto. Ma come, Giò? Ritrovi un fantasma, ci vai a letto, te ne innamori: ed ora accetti di incontrare sua madre. Lo sai cosa significa per Richard Baline presentarti a sua madre? E lo sai chi è Richard Baline?"

Giovanna alzò le spalle, tranquilla.

"Cosa vuoi dire, Martine? Che è un americano senza un soldo? Lo so. Che è un nevrastenico e un debole? Lo so. Che non saprebbe proteggere un gatto? Lo so. E con questo? Lo voglio."

"Christian Dior!" Le braccia bianche di Martine si alzarono al cielo per invocare santi ed arcangeli a testimoni della sua indignazione. "Ma come fanno a pigliarti sul serio? Dov'è la tua intelligenza? Esiste? Dimmi: esiste davvero?"

"Jane Austen diceva che una donna intelligente non deve mai mostrare di esserlo. Forse seguo i consigli di Jane Austen."

"E non mi infastidire con le tue citazioni! Resti ottusa lo stesso. Sentila, Christian Dior! Una donna come lei, che ha successo, che potrebbe diventare davvero qualcuno: si mette con Richard Baline. E di Francesco, di lui che ne fai?"

"Francesco sa tutto, sapeva tutto prima di me. Comunque non sta a te condannarmi per Francesco. Tu non l'hai forse piantato? Quanto al successo, ascoltami bene Martine: il successo non giustifica una vita. Ci ho messo ventisei anni a capirlo ma ora, perdio, l'ho capito. L'unico modo per diventare qualcuno, se nasci donna, è amare un uomo. Sono una creatura normale. Desidero ciò che desiderano le donne normali: un marito e dei figli."

"E li vuoi da Richard Baline?!"

La voce di Martine si ruppe in uno strillo isterico.

"Li voglio da Richard Baline."

"Cavolino mio..."

Martine sembrò sul punto di dire qualcosa ma non lo disse. Sedette invece sul bordo del letto e accese una sigaretta.

"Cavolino mio, ce ne sono milioni meglio di lui."

"E con questo? Ce ne sono milioni anche meglio di me. Comunque io non conosco quelli meglio di lui e non posso consumar la mia vita ad aspettar di conoscerli. E poi se dovessimo cercare la perfezione in un uomo, si amerebbero i santi. I santi son morti e io non vo a letto col calendario."

"Chérie, la perfezione non c'entra. E non c'entra neppure che Richard Baline sia il peggio che ti possa offrire l'America: un piccolo fotografo attaccato alle gonne della mamma e... Lasciamo perdere. C'entra il fatto che non ti dà nulla, che non ti darà mai nulla, che non ti ama."

"Tu come lo sai?"

"Scommetto tutti i miei gioielli che non ti ama, quello scheletro rosso."

"Sei cattiva, Martine. Ad ogni modo l'amo io."

"Christian Dior!" E di nuovo le braccia di Martine si alzarono al cielo. "L'amore da una parte sola non basta, Giò. Le tue sono fantasie da masochista. Non si regala l'anima a chi non è disposto a regalare la sua. Chi non fa regali, non apprezza i regali. Tu cerchi Iddio in terra, e sei disposta a qualsiasi menzogna pur di inventarlo. Ma Iddio non si inventa e neppure l'amore. L'amore è un dialogo, non un monologo."

"Che ne sai, tu, Martine? Non hai mai amato nessuno, cambi gli uomini come le calze. Non ti condanno, Martine: ti voglio bene. Però ti chiedo: hai mai provato ad appartenere ad un uomo e ad accettarlo con gratitudine per il solo fatto che esiste e lo ami? Ti sei mai detta che l'amore è gratuito e non uno scambio di merce?"

Martine stava per portare la sigaretta alle labbra. La gettò via e i suoi occhi si accesero di un lampo feroce, le sue mani si tesero come per la voglia di prendere a schiaffi. Poi balzò in piedi, riprese a camminare su e giù mentre la vestaglia di trine si gonfiava in ventate, si ributtò a sedere sul letto, dove ricominciò a parlare ma con voce tristissima.

"Ascoltami, Giò. Cosa credi che sia? Una collezionista di amanti e di gioielli? Povera Giò: se tu non fossi abituata a catalogare la gente secondo schemi banali, capiresti che anch'io ho avuto un Richard Baline. E Dio sa se lo amavo: perché anch'io sentivo il bisogno di inventare Iddio in terra, a costo di inventarlo in un piccolo uomo. Ascoltami, Giò: te la immagini Martine che stira camicie e prepara la cena? Te la immagini Martine che vuole i figli del piccolo uomo per farne tanti piccoli dèi? E sopportavo tutto perché una donna, dicevo, deve essere tale in umiltà e devozione. Ma chi è l'imbecille che per primo fece questo discorso? Abbiamo due braccia e due gambe ed un naso e un cervello: come gli uomini. Ma fin da bambine ci sentiamo ripetere che dobbiamo loro rispetto e ubbidienza. Perché? Abbiamo un ventre e desideri: come gli uomini. Ma loro possono far ciò che vogliono appena nati e noi fino a sessant'anni ci sentiamo ripetere che la verginità è il capitale più prezioso che una donna possa portare ad un uomo. Perché?"

Riaccese la sigaretta, fumò una boccata rabbiosa, inghiottì le lacrime che le scendevano in bocca.

"Lo persi il piccolo uomo. E persi anche il mio piccolo dio. Era il giorno di Pasqua e di fronte alla clinica c'era una chiesa con le campane che suonavano, suonavano, suonavano. Entrò un vecchio abbronzato, con le mani gonfie di vene, e mi

233

disse: 'Sono il chirurgo. Andiamo, mia cara. Un piccolo taglio e tra un mese è guarita'. Io avevo un pigiama rosso. Scesi dal letto, con quel pigiama rosso, e lui mi portò dentro una stanza con tre uomini dal volto coperto di garza. Mi legarono a un tavolo, per le caviglie ed i polsi. Sopra di me c'era una lampada: accecante, cromata. Un uomo dal volto coperto da una garza si avvicinò con una siringa. Aveva gli occhi azzurri, ricordo, e vedevo soltanto i suoi occhi azzurri sopra la siringa e la garza: ma non mi dicevano nulla. Infilò l'ago in un braccio, sentii un gran sonno e poi fu come morire. Il chirurgo lavorò due ore e tre quarti sopra il mio ventre. Poi mi svegliai con un gran dolore nel ventre, un gran vuoto nel ventre, e le campane suonavano perché era giorno di Pasqua. Entrò il chirurgo e disse che era andato tutto benissimo, il taglio era talmente minuscolo che avrei potuto portare il bikini e magari far lo striptease se ero stripteaser. Risposi che non ero stripteaser. Poi entrò una infermiera. Era piccola e grassa, teneva in mano un bicchiere. Dentro il bicchiere c'era l'alcool e dentro l'alcool c'era una noce di carne che era mio figlio. Mi disse: 'Vuole vederlo?' Risposi di no. Allora lei disse quant'ero sciocca, dovevo vederlo: se non altro per curiosità. Si avvicinò e mi fece vedere il bicchiere, dove c'era una noce di carne."

Martine chiuse gli occhi, inghiottì.

"Era proprio una noce, con un bassorilievo

nel mezzo. Aveva gli occhi e la bocca e le gambe e le braccia, le braccia sugli occhi, le gambe contro la bocca: e quello era mio figlio. Era giorno di Pasqua e le campane suonavano, ed io pensavo che quello era mio figlio e non avrei potuto averne mai più. E c'era gente che aveva un figlio, ma nato, e faceva un mucchio di storie: mio figlio ha detto la prima parola, mio figlio ha messo il primo dente, mio figlio ha mosso il primo passo, mio figlio va a scuola, mio figlio ha messo la barba, mio figlio s'è innamorato, mio figlio si sposa, mio figlio aspetta un figlio. E mi sentivo morire di disperazione. Ma non dar retta; non si muore di disperazione. Con la disperazione si mangia, si beve, si dorme, e una mattina ti alzi e ti accorgi che la disperazione è finita e la cicatrice non si vede nemmeno: puoi davvero portare il bikini. Puoi perfino sposare un altr'uomo che non può darti piccoli dèi ma può darti figli più preziosi e più comodi: figli che non crescono, che non si ammalano, che non vanno alla guerra, che non diventano uomini e donne per far soffrire, che non muoiono mai. I miei cari, adorati gioielli. No, grazie: questo bambino che ho al dito mi piace troppo, non vi rinuncio: per quel che mi riguarda, ho già dato il mio contributo alla causa sbagliata. Amare a vuoto è peccato mortale, chérie, e regalarsi a qualcuno è delitto. Pigliati pure il tuo Richard Baline se vuoi esserne certa. Ma se non vuoi soccombere prima del tempo, non incontrare sua madre. È troppo amica di...»

Giovanna, che fino a quel momento aveva ascoltato commossa, alzò di scatto la testa: dimentica di qualsiasi commozione.

"Di chi è troppo amica, Martine?"

"Al diavolo! Fai quel che ti pare!" gridò con un singhiozzo Martine. E si chiuse nel bagno.

* * *

Nella sua irriconosciuta saggezza, e dopo il litigio con Bill, Martine immaginava benissimo il dialogo che si stava svolgendo a quell'ora tra Richard e Florence: sempre lo stesso.

"Hallo, mammy? Hai impegni per domani sera?"

"No certo, figliolo. Perché?"

"Vorrei che ci trovassimo a cena per presentarti un'amica."

"Che piacere, figliolo. Sono io che vi invito."

"Mammy, stavolta sarai gentile, vero?"

"Figliolo, sai bene che farò di tutto perché si senta a suo agio. No, figliolo, non dirmi altro. Non voglio saper nulla di lei: solo conoscerla e giudicarla senza prevenzioni. Lo sai, figliolo, quanto desideri vederti felice."

Dopodiché Florence si metteva a camminare su e giù e, nelle ore che precedevano la battaglia, quei passi accompagnavano le esitazioni di Richard come un messaggio cifrato che dicesse: "Non temere, figliolo. Sono qui e ti proteggo. Non temere, figliolo. Sono qui e non ti fo portar via". Promessa mai vana: dilaniata dal terrore che un'altra donna potesse portarglielo via, Florence studiava ogni volta un piano di guerra che inevitabilmente si concludeva con questa frase: "Non mi è piaciuta, figliolo. Non è degna di te. Ti divorerebbe. Pensaci bene". E Richard, seguendo inevitabilmente il consiglio, fingeva di ignorare perché tali cene fallissero: in fondo desiderava anche lui che fallissero.

Non stavolta, però: Florence ne era cosciente. Dalle tendine abbassate della sua camera, Florence aveva spiato tutte le visite di Giovanna: l'aveva vista uscire all'alba della prima mattina, l'aveva vista uscire il giorno dopo lo sputnik. E come se ciò non bastasse, troppi elementi contribuivano a raddoppiare il suo allarme: la fuga di Richard a San Francisco, il ritorno improvviso, l'insistenza con cui egli ignorava Bill e anche lei. Non era mai successo che Richard staccasse il telefono e facesse a meno di Bill. Malgrado le occhiate tra le tendine le avessero rivelato una bionda dall'aria qualsiasi, Florence intuiva che Giovanna era molto temibile e bisognava prepararsi allo scontro con cura infinita. Fissato l'appuntamento con Richard, telefonò subito a Bill. "Hallo, Bill. Richard è da te?"

"No, Florence. Sto lavorando. Che vuoi?"

"Oh, scusami Bill. Sto cercando Richard da almeno due ore: è per la cena di domani sera. Sai, mi presenta un'amica: Giò qualchecosa. La conosci?"

«Sì. Perché?»

«Niente: mi piacerebbe sapere che tipo è, ecco tutto.»

«Florence, qualunque tipo sia, sarà bene che tu non combini i soliti guai. È tempo che Dick se la cavi da sé: ed io non ho voglia di perdermi in ciance.»

«Bill! Non ti riconosco.»

«Non mi conosci abbastanza.»

«Ma Bill! Era solo per non fare gaffes. È buona educazione informarsi su una persona che devi conoscere, saperne i gusti, le idee. Bill, caro, vogliamo vederci domani?»

«No.»

«Bill! Hai una voce desolata. Soffri, caro? Perché?»

«Sto benissimo, Florence. Mi hai solo interrotto mentre lavoro. Detesto essere interrotto quando scrivo, lo sai.»

«Oh, Bill! Io invece sto così male. Vogliamo vederci, domani? Ti prego! Oh, ti prego! È mio dovere, e anche tuo. Bill! Ti preme, vero?, che io sia gentile con Richard e con la ragazza?»

«E va bene. Alle cinque nel bar dello Waldorf. Sii puntuale.»

Florence si preparò col cuore in disordine e, alle cinque meno un quarto del giorno seguente, sedeva già nel bar dello Waldorf: per uscirne alle sette con Bill, il cuore ancor più in disordine, il cervello in fiamme.

"Bill, camminiamo un poco: ti prego. Ho bisogno di prendere aria."

"Anch'io. Me l'hai tolta tu."

"Bill! Sei crudele."

"Non più di te."

"Io non ho scelta."

"Io meno di te."

Era un pomeriggio ventoso. Lo sputnik stava per disintegrarsi alle soglie dell'infinito e la regina d'Inghilterra visitava New York insieme al marito. Broadway era un pantano di carta strappata, stelle filanti, pagine di elenchi telefonici sacrificati al corteo della regina che andava a fare merenda col sindaco. La folla si assiepava strillando lungo le transenne e i poliziotti picchiavano chiunque tentasse di attraversare la strada: di lontano avanzava un cappello arancione che era il cappello della regina affogata in una automobile nera. Giovanna era appena uscita dal parrucchiere e stava dirigendosi all'appuntamento con Richard. Gettò uno sguardo privo di interesse sul cappello arancione e tentò di farsi largo tra la folla. Fu subito chiusa dentro una morsa di giacche e di gomiti. Tentò allora di tornare indietro: la morsa era un muro compatto. Tentò di arrivare alla transenna e di scivolar lungo di essa: la frenò, all'improvviso, una strozzatura allo stomaco. Dinanzi a lei c'era Bill con una signora. Bill le voltava le spalle ed anche la signora le voltava le spalle: non c'era quindi pericolo che la vedessero. Se poi l'avessero vista, pensò, non ci sarebbe stato nulla di strano: l'ultimo incontro con Bill s'era svolto in modo abbastanza cordiale e la signora era soltanto una schiena alta e diritta, con una nuca di riccioli neri. Tuttavia la strozzatura allo stomaco si fece più acuta; v'era qualcosa, nell'atteggiamento dei due, di familiare ed inesorabile insieme: che metteva addosso un desiderio di fuga.

Si girò per scappare: ma la regina stava per giungere e nessuno era disposto a cedere di mezzo centimetro. Spinse con tutto il suo corpo, chiese a bassa voce permesso, ricevette in risposta uno spintone che quasi la buttò addosso a Bill. Pigiò ancora, fu ancora respinta, nell'urto rischiò di cadere, nel riprendersi colpì leggermente una gamba della signora. Leggermente, leggerissimamente. Ma subito la punta di un tacco le morse il piede colpevole e poi, veloce come una scudisciata, la testa di riccioli neri si volse, due occhi marroni le bucarono il volto e una voce di metallo la agghiacciò.

"Come osa? Come osa?"

Giovanna non rispose. Ammutolita da una certezza, terrorizzata dall'idea che Bill si girasse, spezzò il muro di giacche e di gomiti, si tuffò selvaggiamente in avanti, corse lungo i muri, le strade, a gettarsi spettinata e sconvolta tra le braccia di un Richard più smarrito del solito.

"Cos'hai fatto, Funny Boy?"

"Niente... Temevo di arrivare in ritardo."

"E quel piede? Chi è stato?"

Giovanna si guardò la calza smagliata, il livido gonfio.

"Non so. C'era una tal confusione in Broadway. Dovrò comprare un paio di calze."

"Non preoccuparti per questo, mammy non è formalista; e le donne non guardano mai le gambe delle altre donne. Ti fa male se corriamo un pochino?"

"Ma no!"

Le faceva male, invece: un male rabbioso come quella certezza. E camminava stringendo i denti, soffocando improperi, addirittura bestemmie quando si accorse qual era il ristorante scelto da Florence: una specie di tana con le tovaglie sudice, i fiaschi di vino che penzolavano giù dal soffitto, il golfo di Napoli che stagnava ricostruito da un inesperto pittore sopra una parete, infine una ragazza sbracata che serviva la pizza asciugandosi il naso sul dorso della mano.

"Be', non è molto elegante ma mammy ha certamente creduto di farti piacere," disse mortificato Richard.

"Certo, Richard."

"Be'... vogliamo entrare?"

"Certo, Richard."

Entrarono in un puzzo di pomodori e di acciughe, lui sempre più mortificato, lei zoppicante. Tenendosi per mano si insinuarono tra i tavoli a quadretti bianchi e rossi. Furono al tavolo dove Florence aspettava. Richard tossì.

"Mammy, ecco Giò. Giò, ecco mammy."

Giovanna porse lentamente la mano e mentre i due occhi marroni le bucavano il viso mormorò senza sorpresa: "Buonasera signora Baline".

* * *

Una volta, nello studio del nonno, Giovanna aveva assistito al combattimento tra un pappagallo e una scimmia. La scimmia era giovane e graziosa, il pappagallo era vecchio e bellissimo. Sia l'una che l'altro erano innamorati del nonno e per questo si odiavano: di un odio talmente profondo che per mesi e mesi avevan vissuto nel proprio angolo evitando ogni approccio. Ma un giorno il nonno, che sperava di metterli d'accordo, posò il pappagallo vicino alla scimmia: e il combattimento ebbe inizio. Le due bestie si guardarono fisso, poi il pappagallo vibrò una beccata nell'occhio destro della scimmia. La scimmia rispose con un morso alla testa del pappagallo e, prima che il nonno potesse intervenire, la scimmia e il pappagallo furono una cosa sola che si rotolava per terra, decisa a distruggersi. Fu un vero combattimento, uno scontro da uomini. La scimmia non mandava un grido, il pappagallo non faceva uno strillo. Si distruggevano senza rumori fuorché quello sbattito d'ali, quell'ansimare un po' rauco, e così continuarono, ostinate, corrette, finché giacquero moribonde: il pappagallo con un'ala sola, quasi privo delle sue belle penne, la scimmia coperta da lunghe striature di sangue e la pelle quasi scuoiata.

Giovanna non ricordava quale delle due bestie fosse morta, o se fossero morte tutte e due, o se avessero continuato a vivere con le loro mutilazioni. Ma ricordava, benissimo, l'odio garbato con cui si ferivano: lo stesso odio che luccicava negli occhi di Florence Baline e che saliva anche ai suoi mentre, per la seconda volta e con calma, guardava quelle guance affilate, quel naso imperioso, quelle labbra sottili e strepitosamente dipinte di rosso, quel volto dove tutto era bello eppure sgradevole allo stesso modo di un moscon d'oro i cui riflessi ti affascinano ma non bastano a farti dimenticare che il moscon d'oro è un insetto.

"Spero che il locale sia di suo gradimento, cara," disse Florence alzando una mano curatissima e bianca. E, per un attimo, il suo odor di cardenia sopraffece il puzzo di pomodori e di acciughe.

"Il suo gusto è squisito, signora," rispose Giovanna.

"Grazie. Ma noi due non ci siamo già viste?"

"No, signora. Lo escludo."

"Che strano, che bizzarro."

"Davvero che strano, che bizzarro."

"Poco fa zoppicava, mia cara. Le è successo qualcosa?"

"È il mio modo di camminare, signora."

Si sorrisero, ambigue. Richard finse di studiare il menu.

"Mangiamo la pizza, eh? Mangiamo la pizza!"

"Con piacere," disse Florence.

"Con piacere," disse Giovanna.

Detestavano entrambe la pizza.

"Gran bel paese, l'Italia," riprese Florence. "Io adoro, semplicemente adoro la vostra Roma. Così pittoresca, così soleggiata."

"Io preferisco New York," disse Giovanna.

"E i newyorkesi," aggiunse Florence. "Però la capisco. Gli italiani sono così insopportabili con le donne. Per strada, fischiano sempre alle donne. Che io sappia, solo gli italiani fischiano per strada alle donne."

"Gli americani fischiano meglio, signora. Dopo l'arrivo degli alleati, le nostre strade erano tutte un concerto. Avevano un modo così divertente di ficcarsi in bocca due dita e fischiare. Ho ritrovato lo stesso metodo qui. Solo Richard non fischia. Non fischiava nemmeno quand'era nascosto in casa nostra, con Joseph."

"A proposito, cara. Grazie per avere ospitato mio figlio: davvero gentile da parte vostra. Spero che non vi abbia dato troppo disturbo," disse Florence col tono con cui si ringrazia il padrone di casa che ha messo lenzuoli e coperte sopra un divano per ospitare l'amico che non ha trovato posto in albergo.

"Prego, non è stato un disturbo. Ci faceva molto piacere averlo con noi," rispose Giovanna col medesimo tono. Poi tutte e due attaccarono la pizza: in silenzio, consapevoli di non poter spre-

244

care parole. Il primo round era stato debole, capivano bene anche questo, ma il secondo sarebbe stato violento: e la preda era lì, zitta zitta, pronta ad essere presa dal vincitore. Bisognava riposarsi un pochino, mangiar due bocconi. Al terzo boccone arrotarono il becco e gli artigli, sorrisero. Da quel momento ogni pietà era esclusa, ogni viltà permessa.

"L'anno prossimo tornerò a Roma. Spero proprio di vederla, cara Giò."

"Io invece spero di vederla a New York perché l'anno prossimo, signora, sarò a New York."

"Preferirei vederla a Roma, le dico."

"A New York, vuol dire."

"A Roma, ho detto."

"Mammy!" esclamò Richard, stupito.

"Figliolo, senza Giò mi divertirei molto meno! Se fosse a Roma, Giò mi accompagnerebbe dal papa. Chissà quanto lo desidera, anche lei."

"Non lo desidero affatto, signora. Non m'importa nulla del papa, signora."

"Giò!" esclamò Richard, smarrito. Poi, dai recessi dimenticati del maschio che sente il dovere di proteggere la donna, le venne in aiuto.

"Giò la pensa come me, mammy. Anche in questo ci troviamo d'accordo."

"Ma io credevo che fosse cattolica, caro."

"Solo ufficialmente, signora. I cattolici non riscuotono le mie simpatie."

"Io, invece, lo sono realmente e il suo discorso mi offende," sibilò Florence. E infilò la forchetta nell'insalata con la stessa gioia feroce con cui l'avrebbe ficcata in testa a Giovanna.

Era un colpo gobbo. Giovanna sentì la forchetta entrarle dentro la testa e le parve che una goccia di sangue le scorresse giù per la nuca. Ma non era sangue, era sudore.

"Mammy s'è lasciata incantare da Fulton Sheen," intervenne Richard. "Papà non fu mai capace di farle abbandonare la religione anglicana ma Fulton Sheen, dal televisore, c'è riuscito in due mesi. Fulton Sheen è un gran bell'uomo. Molto più bello di quanto fosse papà."

"Richard, ti proibisco!" strillò Florence ma subito si riprese. "Richard è proprio matto, mia cara. Ama scherzare sulle cose più serie. Anche i suoi amici italiani sono matti come Richard?"

"Qualche volta. Ma Richard è più divertente."

"È fidanzata con qualcuno di loro?"

"No, signora!"

"Sposata?"

"Ma no!"

"Divorziata?"

"In Italia non esiste il divorzio, signora. E non esistono neppure le divorziate che campano sugli alimenti dell'ex marito. In tanto errore, quest'ultima è una pregevole virtù. Non le pare?"

"Ah, sì?" La voce di Florence era soave, molto soave. "Io ho divorziato due volte, cara. Una volta dal padre di Richard che poverino morì subito dopo. Un'altra volta dal mio secondo marito sui cui alimenti io vivo. Né giudico immorale campare sull'eredità o gli alimenti, mia cara. O mi sbaglio?"

Stavolta sembrò a Giovanna che la beccata la colpisse nell'occhio e che l'occhio fosse già cieco per il sangue che lo riempiva. Istintivamente se lo asciugò: ma non era sangue, era sudore. Il sudore ora le appiccicava i vestiti alla pelle come se fosse agosto, e sentiva un gran sonno. Guardò Richard come a dirgli che cedeva le armi, accettava la propria sconfitta. Di nuovo Richard le tese una mano.

"Mammy, Giò non ti giudica affatto immorale. La sua opinione è quella di una donna che prende il matrimonio sul serio."

"Pensate di sposarvi, miei cari?" ridacchiò Florence.

"È probabile, mammy: se Giò mi vuole."

"Naturalmente che voglio, signora," disse Giovanna rialzando la testa.

"Oh, carini, carini! Allora dovrò farvi un regalo. Che ne direste di un bellissimo shelter?"

"La sola idea mi disturba, signora."

"Lei è contro le disposizioni del Comitato per la difesa civile? Lei non ammette che gli americani si debbano difendere? Lei vorrebbe far morire il mio Richard?"

"Non vorrei far morire nessuno, signora. Vorrei solo non pensare alla morte, signora. Soprattutto vorrei non organizzar la mia vita intorno al sepolcro di un rifugio antiatomico. L'ho già vista la guerra, signora: quando lei se ne stava tranquilla a New York. E non ho nessun desiderio di rivederla, signora: perché la guerra non è ciò che lei crede. Non è..." come aveva detto Bill? "... una partita di baseball. Lo chieda a suo figlio, signora."

L'unghiata colpì Florence in pieno petto e stavolta fu Florence a tastarsi: come se le sue belle penne le fossero tutte volate e un'ala le pendesse staccata dal corpo. Ma subito essa corse ai ripari e portando alle tempie le belle mani gemette.

"Cari! Oh, cari! M'è venuta un'emicrania terribile. Ma forse non è l'emicrania, è il mio cuore. Sapete che soffro di cuore. Oh, che male! Soffoco, soffoco! Presto, la mia medicina, un po' d'acqua! Oh, dov'è la mia medicina? È a casa, Dio!, è a casa. Presto, portatemi a casa. Sto male! Sto maleee!"

Pagarono il conto alla svelta. Chiamarono il taxi, la riportarono a casa, e Richard era pallido, Giovanna impietrita. Nel taxi, Florence s'era seduta tra lei e Richard, dividendoli, ed ora, abbandonata sul petto del figlio, respirava con sforzo: le palpebre abbassate sugli occhi. Per farle salire le scale, fu necessario sorreggerla in due.

"Credo che mammy abbia bisogno di me," disse Richard prima di aprire la porta, e lo disse in un modo che aveva qualcosa di ostile. "Ti dispiace tornartene a casa da sola?"

"Figurati."

"Allora ciao."

248

"Richard! Non sei... non sei arrabbiato con me, vero?"

"Ciao, t'ho detto."

"Richard, senti..."

"Non vedi che mammy sta per svenire?"

"E va bene, che svenga!" urlò Giovanna. Poi, rivolta a Florence: "Addio, signora Baline. Non svenga, la prego".

"Addio, cara. Faccia buon viaggio e mi lasci il suo indirizzo di Roma," soffiò Florence.

Giovanna si soffermò a guardare Richard che apriva faticosamente la porta, sostenendo il peso materno, e non vide le palpebre di Florence Baline che si alzavano sugli occhi marroni, trionfanti.

XIV

Il giorno dopo era sabato e Richard non telefonò, Giovanna fece altrettanto: pur essendo cosciente di un torto subìto, si sentiva confusamente colpevole. Al mattino della domenica, Martine andò a Washington per posare in chiffon dinanzi alla statua di Lincoln e suggerì a Giovanna di andare con lei ma Giovanna rispose di no, aspettava la telefonata di Richard: non era mai successo che Richard mancasse di telefonarle per due giorni di fila e, dopo la catastrofe con Florence, era proprio importante che si vedessero. Richard non chiamò.

Non chiamò alle undici, né a mezzogiorno, né all'una, né alle due, né alle tre. Ancora una volta, quel telefono zitto con quei numeri fermi dentro quei buchi fermi tornava ad essere qualcosa di maligno e di vivo che le schiantava la testa, le metteva addosso la tentazione di sollevare il ricevitore, pensava Giovanna. Per non chiamarlo, indugiò ad ascoltare dischi, attaccare bottoni, perfino rileggere l'idea del soggetto che progrediva come un bimbo paralitico, infine a riguardare le fotografie che s'erano fatti a Times Square, i cartoncini dove la macchina aveva predetto il futuro, la bambola col nome di Povera

Perla Pietosa che la fissava coi suoi occhi di vetro, il suo perpetuo sorriso. Le campane della
chiesa di fronte suonavano il vespro quando essa
cominciò a sospettare che fosse successo qualcosa. Allora sollevò il ricevitore, compose il numero
di Richard. Non rispose nessuno. Provò una seconda volta, e una terza. Non rispose nessuno.
Uscì, camminò fino alla casa di Richard per vedere se filtrava una luce dalle finestre. Le finestre erano buie. Tornò indietro, mangiò qualcosa, andò a letto, rifece il numero. Non rispose
nessuno. Tentò di placarsi accendendo la radio
ed ascoltando un concerto di Vivaldi. Dopo poche note la voce dell'annunciatore tuonò: "Avete mai sentito parlare del cancro? Bisogna combattere il cancro. Non trarrete sincero diletto da
questa bellissima musica se non contribuite alla
battaglia contro il cancro. Ricordatelo! Anche
voi potreste essere colpiti dal cancro". Girò il
bottone facendo le corna, si mise ad ascoltare un
altro concerto: stavolta Beethoven. Dopo qualche minuto i violini tacquero e la voce del solito
scalognatore tuonò: "Avete mai sentito parlare
della leucemia? Bisogna combattere la leucemia.
Non trarrete sincero diletto..." Chiuse la radio
con gesto rabbioso. Che avesse ragione Igor a
sostenere che gli americani sono il popolo più
ammalato del mondo? Ricompose il numero di
Richard. Non rispose nessuno. Provò ancora, poi
ancora, fino a quando quei numeri in moto diventarono un incubo. E la notte invecchiò come

251

una minaccia, poi un presentimento, poi una certezza dissolta tuttavia al fiorire dell'alba, quando, messo da parte ogni orgoglio, disposta al perdono anzi ansiosa di chiederlo, telefonò ancora a Richard. Senza avere risposta.

Allora telefonò allo studio e qui una segretaria dalla voce d'angelo rispose con perfidia che il signor Baline era assente, che ignorava quanto sarebbe rimasto assente, che sapendolo si sarebbe guardata dal dirlo poiché non ne aveva l'autorizzazione, buongiorno. Uscì. Tornò a vedere se i vetri delle finestre di Richard erano abbassati. Erano alzati. Salì. Bussò alla porta smaltata di verde, la housekeeper aprì per dirle che il signore non c'era, evidentemente non aveva dormito in casa quella notte poiché il letto era intatto. Così tornò a casa, poi ad altre ventiquattr'ore d'attesa che furon l'inizio di una tortura sempre più densa e sempre più intollerabile. E malgrado la vita le serbasse in seguito torture più gravi, non sarebbe mai riuscita a scordarla: come non si scorda il primo dente che ci portano via, la prima notte nel letto di un'altra creatura, il primo stupore di fronte alla morte.

I giorni, ora che Richard era nuovamente fuggito, stagnavano immobili: pesanti come l'aria d'agosto quando tutto s'acquatta in un raschiar di cicale. Le ore si raddoppiavano come secoli di ozio che niente basta a riempire: e in quel vuoto tutto le appariva distorto da una brutale realtà.

Camminava per le strade e scopriva barattoli sudici, bottiglie rotte, una tetra sporcizia. Si fermava alle vetrine e si indignava pel cattivo gusto dei bambolotti di cera, dei cartelli rossi che annunciavano svendite. Saliva su un ascensore e il balzo della partenza le dava la nausea, il balzo dell'arrivo le rovesciava lo stomaco: quando i balzi si moltiplicavano per le fermate che il lift faceva prima di giungere al piano richiesto, essa fissava il responsabile con pupille cariche d'odio poi seguiva con disperazione la striscia delle luci corrispondenti a ogni piano augurandosi solo che il tormento finisse. Detestava ormai i grattacieli, i taxi gialli, i bicchieri d'acqua gelata che ti sbatton davanti appena chiedi qualcosa da mangiare o da bere, le enormi bistecche sanguinolente, i giornali della domenica che hanno centinaia di pagine e pesano come un fagotto, la subway dove non c'è mai un posto da sedere, le commesse villane che vendono con l'aria di farti un piacere, i cinematografi dove è proibito fumare e stringi la sigaretta tra i denti finché la sigaretta si rompe e ti trovi il tabacco sopra la lingua. Detestava ormai il rumore delle escavatrici e gli scoppi della dinamite, le scale antincendio e le luci sempre accese, lo spreco e il luogo comune. Il luogo comune!

Una mattina volle andare a vedere la statua della Libertà: da vicino. Così prese il ferryboat e, ripercorrendo coi turisti e le coppie in luna di miele il magico viaggio compiuto la prima notte con Richard, approdò a un'isola piccola piccola dove la gigantessa di ferro si alzava, volgare, sul piedistallo di pietra. Insieme ai turisti e le coppie in luna di miele salì la scaletta a chiocciola che si snoda dentro il gran corpo vuoto, fu dentro la gran testa vuota, dalla vuota raggiera guardò non scoprendo altro che vuoto: il vuoto del cielo, il vuoto del mare, il vuoto della sua delusione. Un'altra mattina prese il taxi e andò a Coney Island: per conoscere il paesaggio fantastico che aveva accompagnato la fanciullezza di Richard. Scoprì solo un viale grigio, una spiaggia grigia, un mare grigio: che non aveva nemmeno l'odore del mare. Nel parco divertimenti, saracinesche abbassate, giostre immobili, zoo senza bestie, un vento gelido che spazzava cartacce e portava la rena per riempirne gli occhi. Kiddieland, il paradiso dei bimbi, era una pista di cemento coi cavalli di cartapesta coperti da un cencio, una zingara che spiegava tanto squallore: un maniaco sessuale vi aveva violentato un fanciullo e così la polizia aveva ordinato di chiudere. Giovanna fece una smorfia e disse al tassista di portarla in ufficio dove, tra la curiosità inappagata di Gomez e le occhiate miopi della segretaria, piombò nei soliti interrogativi. Perché, stavolta, Richard non aveva lasciato indirizzo? A chi chiedere questo indirizzo? A Bill? Impossibile: se la faceva con Florence. A Florence? Nemmeno per sogno. Era stato per colpa di Florence, del suo mal di cuore, della sua

254

gelosia se Richard l'aveva piantata così. A chi, dunque? A nessuno.

Si rodeva in questi pensieri da quasi sei giorni e ogni volta un odio cupo le saliva alla gola estendendosi a Richard, a Bill, al mondo intero, poi placandosi in un perdono durante il quale formulava per Richard le giustificazioni più ingenue e accusava se stessa, la propria intolleranza, la propria aggressività: finché tutto moriva in una impotente abulia, una lucidità rassegnata. A che serviva arzigogolare e rimpiangere? La catastrofe era scontata in partenza. Non l'aveva forse avvertita Martine? Le aveva perfin confessato il suo straziante segreto, per metterla in guardia. Ah! Se almeno Martine fosse tornata!

Martine tornò al sesto giorno: giuliva, dimentica ormai dei singhiozzi con cui s'era rifugiata nel bagno. Ma la sua presenza servì quanto un paio d'occhiali ad un cieco.

"Evviva, chérie! Che sollievo rientrare in città! Iiih, quelle statue di morti, quelle cupole bianche, quel Pentagono truce! Washington mi fa senso, la odio. Ancora una notte col fantasma di Lincoln e morivo. E tu cos'hai fatto di bello?"

"Mi son riposata."

"Riposata?! Errore gravissimo. A New York non ci si deve fermare. New York è come una crociera, chérie: affascinante finché sei in movimento. Ma guai al giorno in cui scendi a terra, e ricordi che c'è anche la terra, oppure ti adagi a guardarla come un marinaio dalla nave: ti annoi, scopri il peggio. E l'incontro con la strega andò bene?"

"Disastrosamente."

"Ah!"

"Richard è scappato di nuovo."

"Ah!"

"La sera stessa."

"Ah! E non ringrazi il Signore?"

"Sta' zitta, Martine."

"Mon petit chou, credi a me: lascialo perdere. Non ne vale la pena."

La frase causò una specie di disputa durante la quale Giovanna disse che certi discorsi doveva tenerli per sé o le serve messe incinte dai caporali, Martine replicò che le serve messe incinte dai caporali sono più educate delle scrittrici, Giovanna uscì sbattendo la porta. Incredibile, si desolava Giovanna, quanto la gente sia sorda al dolore non fisico. Se hai male allo stomaco o ad un piede, tutti cercano di rendersi utili e ti portan rispetto. Ma se hai male all'anima nessuno ti aiuta. Ti deridono, anzi: quasi che il dolore non fisico sia una cosa grottesca. Cammini, cammini e non sai a chi domandare soccorso, non ti resta altro che rivolgerti a Dio: però ti sembra decente rivolgerti a Dio per un uomo che scappa?

Decine di volte, ammettiamolo, aveva avuto quella tentazione banale: ad esempio quando passava dinanzi alla cattedrale di St. Patrick e si fermava incantata a guardare le candele accese in una piramide tremolante di luce. La tentazione di inginocchiarsi, accendere per venticinque centesimi la propria fiammella: ma, subito dopo, l'idea di scomodare con suppliche o contratti di fede colui che i pittori raffigurano assiso sopra una nuvola la riempiva di vergogna e ridicolo. Ammesso che egli esistesse e si occupasse dei fatti degli altri, come avrebbe giudicato quel tentativo di corruzione a buon prezzo, quell'improvviso ricordarsi di lui? Esattamente come si giudicano i parenti villani che si informano sulla nostra salute solo se hanno bisogno di raccomandazioni e di soldi: concludeva Giovanna. No, non c'era proprio nulla da fare: né con le fiammelle né con le preghiere. Era sola, sola, e con una Martine inservibile: pensava rientrando in casa. Guardala come dorme felice. Non lo sa mica quello che provo.

Martine, invece, lo sapeva benissimo. Sapeva perfino quanto fosse stato puerile rivelarle il dramma di una creatura gettata in un bussolotto di sudicio tra le fiale vuote e le bende di garza poiché ognuno sente la propria tragedia, non quella degli altri, ed è inutile dire a chi ha perso una mano: "Al tale gliene mancano due", costui ti risponde: "Ma io soffro per la mia mano, non per le sue". Sapeva anche quali pensieri tormentavano Giovanna la notte: quando la punta accesa della sua sigaretta si muoveva nel buio, poi si spengeva in scintille, e allora bisognava aspettare il lampo di un altro fiammifero che avrebbe illuminato due occhi svegli, due guance risucchiate. La tormentavano pensieri d'ira, d'orgoglio ferito: insieme, la stanchezza di chi si scopre derubato nei sentimenti e la miseria di chi ha investito il suo capitale d'affetto in un'impresa destinata a fallire. Quel lontano giorno di Pasqua, mentre le campane suonavano e l'infermiera mostrava quella noce di carne dentro un bicchiere, Martine aveva provato le medesime cose: con più strazio però. E così vinceva la voglia di alzarsi, aprire la porta, consolare Giovanna col cinismo di chi ha perduto qualsiasi illusione. Restava nel letto, a immaginare la sigaretta accesa nel buio, e quando il sole entrava dalle finestre bussava, le porgeva premurosamente il caffè: affinché digerisse il whisky con cui aveva nutrito l'insonnia.

Durò dodici giorni, quell'influenza sentimentale. Ma al dodicesimo giorno Giovanna ebbe un collasso, vomitò tutto il whisky bevuto dall'alba all'alba seguente e Martine, invocando Christian Dior, strillò che la farsa doveva finire, si gettò sul telefono.

"Chi chiami, Martine?"

"Chiamo la strega e le ordino di darmi l'indirizzo di quel deficiente."

"Non lo fare, Martine!"

"Lo faccio, invece: quant'è vero che il mio nome è Martine."

"Te lo proibisco!"

"Hallo? La signora Baline? Sono l'ex amante

di Bill, signora Baline. E voglio immediatamente l'indirizzo del suo caro figliolo."

"Martine! Butta giù il telefono, Martine! Ah, questa non te la perdono, Martine!"

"Come ha detto, signora? Oh! Ah! Uh! Ma certo, signora. La capisco, signora. Mi scuso, signora. Senz'altro, signora."

Depose il ricevitore alzando il volto più sbalordito che Giovanna avesse mai visto. Fece un lunghissimo fischio.

"Chi l'avrebbe detto, Giò? La strega è ridotta a un agnello. Piange, ti prega di perdonarla. Dice che nemmeno lei sa dov'è Richard, e l'unico che lo sappia si farebbe tagliare la lingua piuttosto che rivelarglielo. Dice che potresti provarci tu: magari tu ci riesci."

"Chi è, Martine?"

La voce di Giovanna era roca.

Martine agitò sconsolata le braccia.

"Piccola idiota! Bill! No?"

* * *

Il tassista che la portò a casa di Bill chiese a Giovanna se cercava un dottore. La sua faccia sconvolta, il tremito della mano tesa a porgere il biglietto da un dollaro denunciavano la febbre. Giovanna non gli rispose. Passò dinanzi al portiere come se non esistesse. Percorse l'atrio di tappeti e di specchi come se fosse inseguita. Chiamò l'ascensore pigiando due o tre volte il bottone sebbene il bottone fosse già acceso. Salì al sedicesimo piano con lentezza che le sembrò esasperante. Sobbalzò al suono del campanello, allo strascicare dei passi dietro la porta. Poi la porta si aprì e, fasciato fino alle caviglie in una vestaglia di seta, i piedi infilati in due assurde pianelle dorate, apparve Bill.

"Cristo! Cosa vuoi?!"

Teneva in mano un bicchiere colmo di whisky, e i suoi occhi erano iniettati di sangue, i capelli gli ciondolavano sopra la fronte come una frangia sudata. Doveva aver bevuto fino alla nausea poiché le gambe non lo reggevano e dondolava ora avanti ora indietro come una lama di metallo a cui si è dato una spinta.

"Fammi entrare."

"Cosa vuoi, ho detto."

"E io t'ho detto: fammi entrare."

"Prego, signora. Prego!"

Una mano sul cuore e il corpo piegato in un ironico inchino, Bill retrocedette fino al soggiorno dove, di colpo, si rialzò in tutta la sua elegante arroganza.

"Ti ho fatto entrare. Ora dimmi cosa vuoi."

Senza affrettarsi a rispondere, Giovanna girò lo sguardo intorno alla stanza: un soggiorno ampio, arredato con lusso. Al centro, un gran tappeto cinese; in un angolo, una spinola del Settecento con un vaso pieno di fiori appassiti; ovunque, soprammobili e mobili rari. Dalle finestre si vedeva un ricamo di grattacieli illuminati. Da una porta spalancata si vedeva la camera da letto con la coperta di visone sopra il letto e, su un tavolo, una grande fotografia di Richard.

"Voglio sapere dov'è."

"Te l'ha suggerito Martine? Noiosa di giorno come di notte."

"Me l'ha suggerito la mamma di Richard."

"Buona, quella."

"Credevo che foste amici."

"Non ti riguarda."

"Mi riguarda anche questo. Comunque: dov'è?"

"Ed anche se te lo dicessi? Non vuole vedere nessuno: né te, né me, né Florence. Ha tentato di suicidarsi. Sarete contente, tutte e due."

"Suicidarsi?!"

"Sissignora."

Bevve tutto il whisky. Ne versò ancora. Andò a cercare il ghiaccio. Tornò.

"Mi sembra di vedervi: con gli artigli arrotati come due bestie golose. E lui nel mezzo: come una bambolina del tirassegno, pronta ad essere ghermita come trofeo dalla bestia che ha graffiato di più. Nooo?! Nessuna di voi due ha pensato che la bambolina era un uomo con gli occhi e gli orecchi, un cervello ed un cuore, e che vedeva tutto, capiva tutto, e soffriva. Nooo?!"

"Non gridare, Bill. Era lei che mi provocava. Tutto è successo senza che io lo volessi. Ero esasperata, vi avevo visto durante il corteo: e lei mi aveva tirato un calcio."

"Lo so! Lo so! Ti vidi anch'io. Fui io a dirle chi eri. E lasciai con immenso piacere che si preparasse a sbranarti. Purtroppo ti credevo più debole. Vi siete sbranate a vicenda."

"Tu?! Sei stato tu?!"

"Sissignora. Io, io, io!"

"E perché?"

Giovanna cadde seduta sopra il divano e le sue labbra erano dischiuse in uno stupefatto dolore, tutto il suo corpo doleva di indignazione e sorpresa. Perché Bill aveva fatto anche questo? Fino a che punto la sua amicizia con Richard giustificava una tal cattiveria? E di che genere, dunque, era la sua amicizia con Richard? Di quello? Di quello? Non voleva sapere. Non voleva assolutamente sapere. Rizzò la testa.

"Hai fatto male, Bill. Io non sono come Florence e queste donne americane. Io non voglio quello che vogliono loro. E Richard era mio."

"Tuo?"

Con un colpo violento Bill posò il bicchiere sulla spinola, il vaso dei fiori appassiti dondolò insieme a lui. Poi egli venne vicino: le mani tese, le dita scostate, quasi volesse picchiarla.

"Tuo? E come l'hai pagato, signorina Giò? Col capitale della tua avara verginità? E credi davvero che il prezzo della tua avara verginità basti a bilanciare l'affetto di chi lo ha portato nove mesi dentro il suo corpo e l'ha messo al

mondo, o di chi gli è stato tanti anni vicino su-
bendone le bizze, le incertezze, le infedeltà? Credi davvero che basti andare a letto con un uomo per possederlo?"

Sghignazzò con disprezzo.

"Oh, lei non è come queste americane. Lei,
no! Quante volte devi aver ripetuto questa frase imbecille. Va molto di moda in Europa, vero?
E cosa credi che siano, le americane? Vampiri
che succhiano il sangue ai maschi? Cosa credi
che abbiano di diverso da te? In cosa credi che
siano peggiori di te? Piccola ipocrita presuntuo-
sa. Ti sei comportata come il più sfacciato degli uomini, con Dick. Lo hai sedotto, lo hai violentato, lo hai imbrogliato, lo hai puntato come
un cacciatore punta una lepre. Ti piaceva la
prospettiva di vivere insieme a un uomo così debole, no? E dimmi, purissima donna latina, ti
sei messa anche i calzoni per acchiappare meglio la lepre? A Dick piacciono i calzoni, dovresti saperlo."

Uno schiaffo secco si abbatté sulla guancia di
Bill che barcollò appoggiandosi alla spinola. Poi
Giovanna gli fu addosso: le pupille dilatate, il
respiro mozzo, cieca di furore come un gobbo
che sa benissimo d'essere gobbo ma ammazza chi
glielo dice.

"Ridillo."

"Te lo ridico. A Dick piacciono i calzoni. Dovresti saperlo."

"Maledetto!"

"O non lo sapevi?"

"Maledetto!"

"Avanti: di' che non lo sapevi."

"Maledetto!"

Non riusciva a dir altro. Le salivano alle labbra infinite proteste ed offese ed accuse: ma non riusciva a dir altro. E coi pugni chiusi batteva sulle spalle di Bill, sulla testa di Bill, sulla faccia di Bill che rideva appoggiato alla spinola e sembrava non ricevere nemmeno quei colpi.

"Piccola ipocrita. Di' che non lo sapevi."

Ma sì, lo sapeva. In fondo al cuore e al cervello lo aveva sempre saputo, sia pur respingendo l'idea. Ma non sopportava, non accettava che fosse stato Bill ad informarla. La risposta le uscì come un urlo.

"Non volevo saperlo. Non lo sapevo!"

"Bugiarda."

"Non lo sapevo."

"Idiota, allora. Idiota, perdio! Ma come? Sei adulta, vivi in un mondo senza misteri: è dunque vero che l'amore può rendere ciechi? E Martine, quel bagaglio di follia, perché è stata zitta? Dissi tutto a Martine, tutto. Credeva anche lei che tu potessi diventare la salvezza di Dick? È diventata una barzelletta, la salvezza di Dick. Non fa che cercar la salvezza e poi torna da Florence e da me, come un bambino pentito. Idiota, perdio! Ma dove credevi che passasse le notti che non passava con te? Dove credevi che si procurasse gli occhi pesti, quel sonno? E con chi, eh? Con chi?!"

Giovanna cadde a sedere: il volto impietrito.

"Su, purissima donna latina. Perché non piangi? Siete così brave a piangere voi: più brave di Dick. Su, piangi. O non ti riesce? No, non ti riesce: le lacrime ti salgono alla gola e lì si gelano come cubetti di ghiaccio. Ti salgono agli occhi e lì si seccano: le tue ciglia sono asciutte come le foglie di un albero su cui non è mai piovuto. No, non ti riesce. Scommetto che non sai nemmeno quale sapore abbia una lacrima. Dimmi, perdio: è dolce o salata?"

Si chinò su di lei, le agguantò le spalle, la scosse con furia.

"È dolce o salata? Eh? Dolce o salataaa?!"

Lei tacque stringendo le labbra.

"Non lo sai, arida! Ma lo vuoi capire, almeno, che Dick è malato, malato, malato! Lavora per quei giornali solo perché io lo impongo e il mio nome è famoso. Lavora perché io lo voglio: altrimenti non infilerebbe nemmeno un rotolino dentro una Rolleiflex. Vive perché io lo voglio: altrimenti avrebbe già inghiottito da un pezzo quel sonnifero che voi gli avete fatto inghiottire. E conosce la raffinatezza perché io gliel'ho insegnata. Racconta le storie divertenti perché io gliele ho raccontate. Apprezza i buoni vestiti e il buon vino perché io gli ho spiegato quali sono i buoni vestiti e il buon vino. Spende i soldi con prodigalità perché io glieli do. Sissignora: e dove credevi che trovasse tutto il denaro che sprecava con te? Nel foglio paga di *Esquire*? Chi credevi che lo consolasse per le crisi che gli provocavi, per le incertezze che gli davi, per le prove di forza che gli sollecitavi? Pazzo anch'io ad essermi illuso che buttarti nelle sue braccia servisse a qualcosa. Pazzo anch'io ad averti regalato a lui con la speranza di fargli un favore. Ma perché sei venuta a mettere scompiglio tra noi? Andava così bene prima che tu arrivassi con la tua dannata fierezza, il tuo dannato sorriso, i tuoi dannatissimi occhi! Pazzo, pazza! Ma lo vuoi capire che Dick non sarà mai come gli altri, anche se mette al mondo ventiquattro mocciosi? Rispondi!"

Giovanna alzò uno sguardo implorante; per la prima volta nella sua vita, tese le mani: a invocare pietà. Ma Bill continuava, implacabile come il sipario di acqua che a ogni colpo tagliava la pietra, e non mostrava nessuna intenzione di regalarle pietà.

"Ti basta, Giò? O vuoi provare a farne un Mister Babbitt qualsiasi? Non è Mister Babbitt che volete sempre, voi donne? Attenzione, però, se ne fai un Mister Babbitt! Dopo potresti accorgerti che ti piaceva perché era un folletto privo di sesso, un Peter Pan destinato a non crescere mai. Avanti, vuoi correre il rischio? Avanti, vuoi sapere dov'è? È in campagna, da Igor."

"Da Igor?"

"Da Igor, da Igor!"

Drammaticamente Bill strappò la copertina di un suo libro, ci scrisse l'esatto indirizzo, lo porse a Giovanna come si porge un testamento.

"Ah, non sarà facile, sai. Igor non consente a nessuno di avvicinarlo, difende i suoi pazienti come un drago. Ha già cacciato me, caccerà anche te: garbato finché si tratta di ospitare un amico, diventa una belva quando si tratta di ospitare un suicida. Del resto ti piace fare il cavaliere senza paura, no? Sicché corri, infila la spada nelle fauci del drago. Forse lo sconfiggerai: non hai sconfitto anche me? E così libererai la tua bella principessa in catene che per magia si trasformerà in un Mister Babbitt qualsiasi e ti regalerà tanti bambini qualsiasi: destinati a morire sotto la bomba."

"Non voglio nessun Mister Babbitt."

"Bugiarda. Non vuoi andarci, ecco tutto. Sei come le altre, ecco tutto. Nessuna donna resiste a certe realtà, ecco tutto. Nemmeno Martine ha resistito con me."

La copertina strappata del libro giaceva ora sulle ginocchia di Giovanna. Lentamente Giovanna la piegò e la mise dentro la borsa.

"Sì che ci andrò, Bill. Quanto alla certa realtà, il tuo amore per lui, mi importa assai meno di quel che tu creda. Ogni amore è lecito quando si tratta di autentico amore. Lo dico per te, per me, e per Florence. Lo direi anche per Richard se egli fosse capace di amare qualcuno. Ma lui riesce solo ad essere amato. E poiché lo amiamo, non ci resta che accettarlo com'è; e continuare ad amarlo."

"Ho udito bene?"

"Hai udito bene."

"Hai detto che vai?"

"Ho detto che vo."

Bill posò il bicchiere, senza rispondere nulla. Poi riprese il bicchiere e rovesciò il whisky nel vaso dei fiori appassiti. Poi si passò una mano sopra i capelli, sedette anche lui sul divano.

"Sai, Giò. Non credevo che tu lo amassi così. Chissà perché amiamo sempre chi non lo merita: quasi che questo fosse l'unico modo per ristabilire l'equilibrio perduto del mondo. È la più antica forma di masochismo, quella di amare chi non sa amare: e la più stupida. Eppure tu lo ami, io lo amo, Florence lo ama e... accidenti! Non mi ero sbagliato su te: questo complica maledettamente le cose."

"Lo so."

"Ora non mi rendo più conto se mi è più caro lui o se mi sei più cara te."

"Nemmeno io."

"Capisco Dick quando non sapeva più scegliere tra me e te, e ci voleva tutti e due, e..."

"Lo capisco anch'io."

Le andò più vicino. Nello stesso momento suonò il telefono. Alzò il ricevitore con irritazione.

"Hallo! Sì. Cosa vuoi, Martine? Sì. È qui, che ti importa se è qui? Come?! No! Oh, Cristo! Ma sì. Va bene."

Depose il ricevitore.

"Hai fatto un viaggio inutile, Giò. Due ore in più di pazienza e ti saresti risparmiata l'orrenda rivelazione. Oppure avresti potuto riceverla più pulitamente da lui. La principessa si è liberata da sé dalle fauci del drago e Mister Babbitt, quasi guarito, ha telefonato cercandoti. Povero Mister Babbitt: Igor lo ha accompagnato fino a casa ed ora egli ti invoca col termometro in bocca. Dice che Florence ti ha lasciato la porta socchiusa."

"Bene."

"Allora te ne vai, Giò?"

"Certo."

"Mi dispiace di tutto, Giò."

"Dispiace anche a me."

"Sai, Giò. Io non ti ho mai odiato: al contrario. C'erano giorni in cui cercavo lui per cercare anche te. Ridicolo, no?, per un uomo della mia età che può avere tutti i Richard e le Martine che vuole. Ed ora non so cosa darei per non essere vecchio e non essere quello che sono. Non mi è mai piaciuto diventar vecchio: ma ora mi piace meno che mai. Non mi è mai piaciuto essere quello che sono: ma ora mi piace meno che mai. Sei una donna straordinaria, Giò. Vorrei averti incontrato per primo, al posto di Dick. E allora, ti giuro, nessuna Florence e nessun Dick mi avrebbe allontanato da te."

Giovanna si avviò con la schiena curva verso

la porta e qui si rialzò: in un estremo tentativo di non subir quella voce.

"Non dovresti dirmelo, Bill: perché io sto andando da Richard e intendo restare con Richard."

"Certo. Per questo io ti..."

"Richard mi ha chiamato e io vado..."

"Vai subito, allora. Altrimenti ti abbraccio. Ammesso... che non ti faccia disgusto."

Giovanna stava per aprire la porta. Si fermò.

"Perché dovrebbe farmi disgusto, Bill?"

"Perché sono il disgusto stesso."

"Non direi. Non direi proprio."

Si riaccinse ad aprire la porta. Senza impedirglielo, Bill si appoggiò vicino alla porta.

"Hai bellissimi occhi e bellissimi capelli e bellissimo cuore. Sei bellissima tutta: di dentro e di fuori."

"Grazie, Bill."

"Se non fosse tanto importante per Dick ti direi: lascia subito l'America, Giò, perché se resti..."

"Addio, Bill."

"Addio, Giò."

Bill la fissò per un lungo silenzioso momento, poi le passò una mano leggera sopra i capelli, il naso, le labbra: e Giovanna credette che volesse baciarla ma non la baciò. Le andò vicino, ancora più vicino fin quasi a sfiorarla con le labbra. Poi, di colpo si scostò, sollevò le braccia, strinse le mani sopra la testa: come fanno i pugili prima delle partite di boxe. Giovanna sorrise, annuendo tristemente, aprì la porta, restò un attimo immobile, a stringer la maniglia, si voltò verso Bill, lasciò la maniglia, lo abbracciò con disperazione. Bill richiuse la porta.

Dopo l'ascensore venne subito. E partì insopportabilmente veloce.

XV

Per strada si accorse che cominciava a far buio e che era rimasta da Bill molto più a lungo di quanto credesse; tuttavia rispose con un cenno negativo al taxi che s'era fermato. Aveva voglia di camminare, pensare, prendere freddo: tanto, stavolta, Richard non sarebbe scappato.

Si incamminò verso l'Incrocio dei Mondi. Ripetutamente indugiò a guardar le vetrine infiocchettate di nastri rossi, bucaneve, palline d'argento, perfino qualche Papà Natale con la gran barba bianca e la pancia gonfia di trucioli. Durante la sua influenza sentimentale, era scoppiata l'organizzazione del Natale, a New York. "Sai, Giò, si preparano anche due mesi avanti e piantano un albero immenso proprio dentro la gola del Rockefeller Center, poi l'accendono con migliaia di lampade che sembrano stelle e la gente si ubriaca sotto le lampade fingendo di crederle autentiche stelle." Chi aveva fatto questo discorso? Bill? Richard? Mah! Comunque doveva essere contenta di passare il Natale a New York. Lo avrebbe trascorso con Richard, pensò incantandosi ad osservare un giovanotto dai fianchi muliebri che si ammirava a uno specchio. Irato, il giovanotto sprizzò una vocina di stecche.

"Ebbene? Cos'ha da guardare?"

"Niente."

"Con la mia vita io fo quel che voglio."

"Troppo giusto."

Continuò a camminare.

Tra poco sarebbe stato completamente buio ed era trascorso ormai molto tempo dalla telefonata di Richard a Martine, poi di Martine a Bill: ma non c'era proprio ragione di avere fretta: dopotutto il Village non era lontano. Poteva anche salire su un autobus, scendere alla Quattordicesima, proseguire verso Cooper Union, inoltrarsi in un pezzo di Bowery. Non aveva mai visto la Bowery. Quando chiedeva a Richard di accompagnarcela, lui rispondeva che era pericoloso o non ne valeva la pena, o trovava giustificazioni. Salì su un autobus, scese alla Quattordicesima, fu a Cooper Union poi nella Bowery che le parve una strada come tutte le altre, solo un poco più sudicia, con le case un poco più basse, e sui marciapiedi vagabondi vestiti di stracci. Guardò senza eccessivo interesse quei corpi quasi privi di ossa, quegli occhi vitrei e perduti in chissà che ricordo, quelle bocche bavose da cui colava una scia di saliva. Uno, completamente ubriaco, giaceva in mezzo alla strada e le automobili gli passavano accanto sfiorandogli un piede o la testa. Un altro le ciondolava con muggiti alle spalle e le tirava una manica per domandarle un ventino. In un raschiare di gomme, l'automobile di un poliziotto frenò.

"Hai perso la strada, young lady?"

"No, grazie."

"Bisogno di aiuto?"

"No, grazie."

"Meglio non passeggiare da queste parti, young lady."

"Sì, grazie."

"Vuoi salire, young lady?"

"No, grazie."

Il poliziotto ripartì. Lei riprese ad andare seguita dal vagabondo che le tirava la manica e reclamava il ventino. Intanto pensava che strano, ormai è tutto chiaro, tutto deciso: allora perché non sento rassegnazione o compiacimento o dolore? Perché me ne vado con questa compostezza da automa?

"Un ventino, please."

Bill non voleva abbracciarmi, da ultimo. Però è stato bello: più bello che abbracciare Richard o chiunque altro. Dovrò tentare di non rivederlo, in futuro. O vederlo il meno possibile.

"Un ventino, please. Un ventino."

Del resto, lo ha capito anche lui. "Se non fosse tanto importante per Dick, ti direi: lascia subito l'America, Giò, perché se resti..."

"Un ventino, please. Un ventino."

L'ossessione era dunque reciproca. "C'erano giorni in cui cercavo Dick per cercare anche te."

"Un ventino, please. Un ventino."

E l'attuale incertezza non era reciproca? "Non mi rendo più conto se mi è più caro lui o se mi

274

sei più cara te." Nemmeno io; nemmeno Richard, Bill.

"Un ventino, please. Un ventino. Un ventino."
Ora i vagabondi che le tiravan la manica erano due. Ora tre. Ora quattro, cinque. Ora erano un grappolo, tanti grappoli: le sembrava d'essere il pifferaio del flauto magico quando suona il flauto e i sorci lo seguono. Però non la seguivano soltanto. La affiancavano, la precedevano, la pressavano: puzzolenti, più disgustosi di una melma di sorci. E gridavano reclamando il ventino.

"Un ventinoo! Non lo sai che questa è la tariffa, ragazza?"

Come no? C'era una tariffa anche per far l'elemosina, in America. Sorridendo cercò gli spiccioli, li consegnò al più petulante, e fu come dare un segnale. I vagabondi aumentarono, si raddoppiarono, la circondarono finché si trovò in un mare di mani, di braccia, di stracci, di occhi vitrei, di bocche bavose, e un solo pensiero dentro la testa: "Ecco, anche questa è l'America. Ecco, sto facendo l'elemosina agli americani".

L'elemosina agli americani? Lei che apparteneva a un paese afflitto da millenarie elemosine, buon ultima l'elemosina delle sigarette americane, delle cioccolate americane, della libertà americana? L'idea le parve così comica, imprevedibile, assurda, che di colpo dimenticò Bill, la compostezza d'automa, e sguaiatamente afferrò tutti i soldi che aveva: ventini, decini, quarti di dollaro, fogli da un dollaro, due dollari, cinque dollari, dieci dollari. Sguaiatamente li buttò sulla melma dei sorci che gridavano, benedivano, maledivano, si calpestavano. Sguaiatamente rise allo svolazzare dei fogli, al tintinnar dell'argento, all'esplodere della sua triste, meschina vendetta: e solo quando il borsellino fu vuoto la smise, voltò in direzione del Village.

Ormai non avrebbe potuto pagarsi nemmeno il biglietto dell'autobus: doveva percorrere a piedi tutta la strada che la separava da Richard. Ma più camminava meno aveva fretta: quasi che l'idea di arrivare le desse fastidio. Non pensava nemmeno più a Bill, ora, né a Richard. Pensava ai poveri cui aveva gettato i suoi soldi, tragici già come una nazione di topi con pallidi occhi che vedono solo nel buio perché un filo di luce li acceca, gracili membra che non possono trascinarsi via dalla tana: a guardare il desolato paesaggio di città frantumate, dissolte, grattacieli ridotti a una manciata di sassi. E i colpi di clacson le sembravan già urli delle sirene d'allarme, il lamento straziante che annuncia un aereo, due aerei, venti aerei che portano il chicco di rena: micidiale come un bruscolo nell'occhio di Dio. Quelle case dure, quei blocchi di cemento geometrico, le sembravan già shelters pronti a chiudere le porte stagne sull'estraneo che chiedeva pietà: e certo c'era già un fucile tra le scatolette di carne e la riserva di acqua, la canna puntata contro l'incauto che voleva rubare l'ossigeno. Era dunque questa, l'America? L'America sconfitta di Igor?

Ecco, mancavano pochi metri alla casa di Richard. Bastava attraversare la Quinta Avenue e percorrere un pezzo di marciapiede. Ma non c'era proprio ragione di avere fretta, poteva anche fermarsi in questo negozio, sfogliare quel libro, leggere quella poesia di Langston Hughes che finiva: "Cosa succede di un sogno rimandato? Si dissecca come un chicco d'uva al sole?" Depose con un misterioso sorriso il volume, uscì dal negozio, attraversò la Quinta Avenue, percorse il pezzo di marciapiede, salì al primo piano, entrò senza fare rumore. La porta smaltata di verde era socchiusa e dall'anta scorrevole veniva un sibilo buffo.

"Richard!" chiamò.

Richard dormiva, coperto di lana, e dalla bocca gli usciva quel sibilo buffo.

"Richard!"

Richard continuò a dormire: l'azione del sonnifero non era evidentemente passata, doveva averne inghiottito un bel po'. In punta di piedi Giovanna raggiunse il divano, sedette, aspettò.

Accese una sigaretta, aspettò.

Accese un'altra sigaretta, aspettò.

Accese una terza sigaretta, aspettò.

Via, aveva aspettato tanto: poteva aspettare un'ora di più. Sbadigliò: non le riusciva più nemmeno aspettare? Un tempo le riusciva aspettare, e anche cose meno importanti: un tranvai che non viene, un'alba che arriverà chissà quando, un fagiolo che spacca la terra per dare alla luce il germoglio. Si agitò. Passava ore e ore, col babbo, ad aspettare che il fagiolo spaccasse la terra e rizzasse la testolina tra la foresta di insalate e di pomodori coltivati per non morire di fame. Strinse le labbra, commossa. Era bello, a quel tempo. Era bello tutto, a quel tempo, anche aspettare un fagiolo. Prima la terra si incrinava, come quando un uovo si rompe per liberare un pulcino, poi si spaccava, si apriva, e il germoglio del fagiolo spuntava come un pulcino dal guscio: non più erba ma creatura. Sorrise. Non sembrava erba davvero, sembrava un serpentello, in cima aveva anche la testolina, nella testolina c'erano gli occhi e la bocca. A un certo punto la testolina vibrava, smarrita, come quella di un bimbo che vuol camminare ma non si regge sui piedi, e allora il babbo infilava dentro la terra una canna sottile sottile, la testolina si appoggiava stanca alla canna, vi si attorcigliava, cominciava a salire, a salire, fino a diventare più alta delle insalate, dei pomodori, di tutto, fino a scoprire dalla cima della sua canna i misteri del grande giardino che era cinto da un muro e al di là del muro chissà cosa c'era, c'era la guerra ma la testolina non lo sapeva, e il babbo diceva vedi, metteva conto aspettare, guarda come trema, respira, forse anche i fagioli hanno un'anima e noi si mangiano, si calpestano, si strappano. Aveva dodici anni, a quel tempo, non conosceva ancora Richard e sapeva aspettare. Sospirò. Dio, che noia. Tese l'orecchio al soffitto cercando il rumore dei passi. Il rumore dei passi non c'era. Florence, evidentemente riscattata dalla rinuncia, stava pregando monsignor Fulton Sheen. Annusò l'aria, si lasciò andare a una smorfia. C'era puzzo di medicina, lì dentro. Le medicine di Mister Babbitt.

Girò un'occhiata lenta intorno alla stanza: sul tavolo coperto di fotografie e di fogli, sulle poltrone, sulle tende abbassate. E d'un tratto si sentì soffocare. Dio, com'era diventato piccino, il suo mondo! Quando aveva dodici anni la terra era grande e dalla finestra dei suoi sentimenti poteva osservare un panorama senza confini. Ora invece il suo mondo era una stanza e dalla finestra dei suoi sentimenti riusciva a vedere soltanto Richard, Bill, Florence, se stessa: la trappola in cui era caduta. Ed aveva durato tanta fatica per giungere a questo?

Si alzò, decisa. Si avvicinò all'anta scorrevole per chiamare Richard, spiegargli, spiegarsi. Richard continuava a dormire e sulle sopracciglia ricciute stagnava, non più simile a gocce di rugiada, il sudore; il suo corpo disossato ricordava il corpo del vagabondo disteso in mezzo alla Bowery, e faceva pietà. Pietà?

Giovanna fissò ancora una volta il suo volto da arcangelo costipato, poi il letto su cui era diventata una donna e, mentre il solito singhiozzo le saliva dal ventre alla gola ma qui si arrestava, fu tentata di scuoterlo: dirgli che era venuta e andava tutto benissimo. Invece si accertò che Richard non l'avesse vista né udita, cautamente tornò verso la porta smaltata di verde e, quando fu sul pianerottolo, se la chiuse piano alle spalle.

* * *

Fu allora che lui si svegliò, lamentosamente chiamò.

"Giò? Giò, sei qui?"

Silenzio.

"Giò? Giò, sei venuta?"

Silenzio.

"Mammy! Mammy, sei tu?"

Silenzio.

Eppure gli era parso di udire un rumore, nel sonno, ed ora gli sembrava di sentire anche un profumo. Con fatica si alzò, barcollando dentro il pigiama raggiunse la porta. La porta era chiusa. Strano, perché? Mammy aveva promesso di aprirla. La riaprì. Tornò verso il letto. Si infilò di nuovo sotto i lenzuoli. Si impose di non dormire e aspettarla. Si mise ad aspettarla: buono buono, coi lenzuoli tirati su fino al collo, i lacrimoni che gli rigavan le guance, la memoria che gli riportava il tormento degli ultimi giorni, quando mammy aveva acceso una sigaretta mostrando di sentirsi benissimo, e lui s'era tanto arrabbiato. Era esplosa una scenata incredibile, la prima scenata che egli avesse osato fare con mammy: dopodiché era scappato da Bill per raccontargli ogni cosa. Bill rideva come se fosse successa la cosa più divertente del mondo. Rideva e diceva "andiamo a dormire". Lui s'era arrabbiato di nuovo e scendendo a precipizio le scale senza nemmeno pigliar l'ascensore s'era ritrovato dinanzi all'automobile rossa, c'era salito. Non sapeva dove andare. Le strade erano vuote come se fosse già suonato l'allarme, come se stessero per arrivare gli aerei insieme alla bomba. Lui guidava, piangeva, e pensava di non avere mai chiesto a nessuno d'essere amato così ferocemente da tutti. Lo amavano, sì, ma non capivano che allo stesso modo in cui amare qualcuno ti riempie, essere amato ti svuota: poiché colui che ti ama non fa che nutrirsi di te, di ciò che hai di meglio, e giorno per giorno ti consuma, ti deruba, finché resti un guscio vuoto cui hanno succhiato i segreti, la linfa, la vita.

Si sentiva così vuoto mentre girava a casaccio New York, poi mentre imboccava la strada lungo lo Hudson, e così era arrivato da Igor che senza mostrar meraviglia o fastidio per l'irruzione notturna aveva preso due capsule da un tubetto di capsule e gliele aveva date insieme a un bicchiere di acqua: pregandolo di andare a dormire. Era andato a dormire in una camera per gli ammalati di Igor ma non riusciva a chiudere gli occhi, via via che passavan le ore lo invadeva una grande stanchezza, un bisogno di farla finita, addormentarsi per sempre. E così s'era alzato, con la cautela di un ladro era andato a cercare il tubetto di capsule, dopo breve esitazione aveva inghiottito tutte le capsule, e così il sonno era venuto: più peso del piombo, più dolce del miele, veloce, mentre i suoi orecchi ronzavano, la sua testa girava, la sua lingua ingrossava, e i pensieri si facevano radi, sempre più radi, e tutto precipitava nel buio, nel silenzio, nel nulla.

Era bello morire: nella stessa misura in cui era brutto rinascere. Rinascere era un muro bianco dinanzi ai tuoi occhi, uno stupore doloroso, una nausea di vomito. Era il volto di Igor sopra il tuo volto, era una voce che umiliava la tua rabbia impotente e diceva: "Ce l'abbiamo fatta, si sveglia". Era la disperazione d'essere stato beffato, di non saper più cosa fare poiché avevi fatto già tutto. Era una voglia di parlare finalmente a quell'uomo che ti ascoltava con la sua pipa in bocca: come un confessore. Per giorni e giorni egli aveva parlato, per giorni e giorni Igor aveva ascoltato, infine dicendogli che la guarigione dipendeva da lui, consisteva nel riempire il suo vuoto amando finalmente qualcuno: ad esempio Giovanna. Poi Igor aveva telefonato a Bill dicendogli di venire a riprendersi l'automobile e basta. Bill era venuto a riprendersi l'automobile e basta, non s'erano visti nemmeno, e Igor lo aveva riaccompagnato in città, a casa. A casa mammy piangeva giurando che non lo avrebbe fatto mai più, e lui aveva chiamato Giovanna: deciso a dirle ciò che non era riuscito a dirle al Monocle, deciso ad amarla, a desiderarla..Ed ora egli era qui, in questo letto, e la aspettava, la desiderava, la amava: e lei non veniva. Ma perché non veniva?

Inghiottendo una lacrima, Richard telefonò di nuovo a Martine: Martine rispose di averla avvertita. Telefonò a Bill: Bill rispose che era venuta da lui. Telefonò a Florence: Florence giurò di aver lasciato la porta socchiusa. Tornò ad aspettare. Aspettò ancora un'ora, due ore, tre ore, ed era notte quando capì che Giovanna era venuta e non sarebbe ritornata mai più. E, mentre tutto riprendeva la sostanza di prima, tirò su le coperte e si addormentò.

XVI

Il telegramma di Francesco era breve. Diceva: "Perché non scrivi stop come stai stop cosa fai stop affettuosamente Francesco". Giovanna rispose: "Torno a casa stop telegraferò numero volo stop affettuosamente Giò". Poi telefonò all'aeroporto ed insistette perché le trovassero un posto entro due giorni. Infine andò da Gomez e gli annunciò che non sarebbe rimasta in America. Gomez la guardò come se fosse impazzita.

"Cosa ti prende, baby? Hai talento, hai coraggio. Non potrai mai sfruttare queste doti in Italia."

"Mi dispiace, Gomez. Io parto."

"Ragiona, baby! Il contratto è pronto, non hai che firmarlo. Vuoi perdere una occasione simile?"

"Mi dispiace, Gomez. Io parto."

"T'è venuta a noia New York? Vuoi andare a Hollywood? Ti mando a Hollywood. C'è il sole, laggiù, come a Roma. Avrai un bungalow tutto per te, e la piscina, e il mare a due passi, un mucchio di bei giovanotti dattorno."

"Mi dispiace, Gomez. Io parto."

"Su, baby. È successo qualcosa con Dick?"

"In certo senso."

"Cosa è successo?"

Giovanna accese una sigaretta, esitò a lungo prima di rispondere ma poi rispose.

"Non potevamo dormire in un letto a tre piazze."

"Giò!"

"Ti indigna, Gomez? Mi spiace. Ma questa è la sconcertante realtà."

"Non mi indigna. Mi addolora soltanto. Ed è già molto che tu l'abbia capito: molti ci dormono, in un letto a tre piazze. Vuol dire che sei una donna sana."

"Non esattamente, Gomez. Io non parto per Richard. Parto per Bill. È lui che temo."

Gomez inghiottì, desolato.

"Baby, non puoi giudicare a distanza di un giorno. Sei sconvolta, troppo sconvolta. Quanto a quel... drammaturgo, ti turba il fatto d'aver conosciuto un uomo più forte di te. I tipi come te si buttano sempre sui deboli e quando trovano un forte perdono la testa. Rifletti, Giò. Passerà. Aspetta, Giò. L'America è una scuola severa, lo so, ma dalle scuole severe escono laureati eccellenti. Non si ha diritto di interrompere l'anno scolastico se si è avuto il privilegio d'esservi ammessi."

"Non voglio nessuna laurea, Gomez. E la lezione mi basta. Questo paese non è fatto per me."

"Idiozie. Gli altri paesi stanno diventando una brutta copia di questo, il tuo compreso. E allora tanto vale star qui. Te ne pentirai se non resti. Di più: tornerai."

"Non me ne pentirò e non tornerò. Ciao, Gomez. Grazie di tutto."

"Arrivederci, Giò."

Si salutarono con tenerezza, dimenticandosi perfino di parlar del soggetto, poi Giovanna incaricò la segretaria di mandarle a casa i suoi fogli ed uscì: per recarsi all'Ufficio Emigranti.

Bisognava passare attraverso una quantità di noie per lasciare New York: proprio come per arrivarci. Bisognava firmare numerosissimi fogli, giurare di non aver percepito stipendi, confessare peccati veniali e mortali. L'impiegato dell'Ufficio Emigranti era particolarmente severo e la interrogava come se avesse rubato la statua della loro Libertà. Con sorpresa Giovanna si accorse di non sapergli reagire e, quando ebbe ottenuto il nulla osta, si sentì come un colpevole rilasciato per sbaglio. Molte cose del resto dovevan stupirla quel giorno. Ad esempio non entrava più con spavalderia dentro la folla: vi si avventurava con timore e subendo spintoni. Non sopportava più il fracasso del traffico che i primi tempi le era sembrato una musica d'arpa, e l'aria in cui prima trovava un profumo di gelsomino puzzava fino alla nausea di benzina e di polvere. Non guardava più i grattacieli con estasi, li guardava col senso di angoscia che si riserva ad una prigione: col presentimento che dovessero precipitare. E soprattutto non sapeva più catturare un taxi. Quando, nel pomeriggio, riuscì a prenderne uno la fortuna le parve talmente insperata che si chiuse in casa e non uscì più che per andare all'aeroporto: due mattine dopo.

In quell'intervallo trascorso fra una Martine sbalordita e un telefono che ogni volta rischiava di darle la voce di Richard o di Bill, la sua metamorfosi non subì mutamenti ulteriori. Le dispiaceva, ovviamente, lasciare quella meravigliosa efficienza, quelle disumane comodità. Le dispiaceva lasciare il Village, un futuro così avventuroso. Ma al tempo stesso ne provava sollievo e al punto di tener testa a Martine che ora si lamentava, ora la rimproverava, ora la supplicava di ripensarci.

"Christian Dior, che dolore mi dai! Perché vuoi darmi questo dolore?"

"Lasciamo perdere, Martine. Incominciavo a darti fastidio: non si può aver sempre un'ospite tra i piedi, prima o poi avrei dovuto sloggiare."

"Christian Dior, mi annoierò da morire."

"Non ti annoierai, hai un lavoro. New York è ai tuoi piedi."

"Chérie, lo sai bene che non continuerò a lavorare: certe follie non sono da me. Senti, perché non andiamo a farci un viaggetto in Florida, eh?"

"Scherzi, Martine. Io devo consegnare un soggetto, non ho nessuna intenzione di farmi licenziare. Poi voglio tornare a casa. A casa perdio!" E con gesti irosi cacciava i vestiti nelle valige che non bastavano più, porgeva a Martine il suo abito d'oro.

"Lo vuoi, Martine? A casa non mi serve, è troppo vistoso. Spenderò un capitale nell'eccesso bagagli se non mi disfo della roba più inutile:"

"Oh, grazie!"

"E questa la vuoi? Si chiama Povera Perla Pietosa."

Porse a Martine la bambola regalata da Richard.

"Questa no, Giò. Questa la devi tenere."

"Perché mai? Me l'ha ordinato il dottore? A casa non tengo giocattoli."

"Non è un giocattolo, Giò."

"È un giocattolo, e la festa è finita. Guarda, in valigia non c'entra."

"Non c'entra neppure questo pezzettino di carta?"

Martine porgeva la fotografia fatta con Richard a Times Square.

"Non c'entra," rispose Giovanna. E la strappò.

"Sei meschina, masochista e cattiva."

"Niente di tutto questo. Sono pratica. E vado a casa. A casa, capisci? A casa!"

Solo a ripetere quelle due brevi parole, a casa, si sentiva un po' meglio. La casa era il rifugio, la consapevolezza di sentirti al sicuro in un posto che conosci perché ci sei nato ed è tuo. Era la gente come lei, che parlava come lei, che pensava come lei. Erano i tetti ed i vicoli che aveva tradito per i grattacieli e le avenues. Era l'uomo che aveva tradito per una donna. Era Francesco. Francesco? Ma sì. Perché no?

"Florence ha telefonato di nuovo," insistette Martine.

"Davvero?"

"Gradirebbe vederti."

"No."

"Gradirebbe almeno parlarti."

"No."

"Dice che Richard..."

"Vuoi passarmi quelle scarpe, Martine?"

"Giò, la tua storia con Richard mi è sempre piaciuta pochissimo. Ma ora mi chiedo: è umano, è normale, che tutto possa finire in due giorni?"

"Vuoi passarmi quella vestaglia, Martine?"

"Io non capisco. Perfino Bill è rimasto stupito. Bill ha telefonato ancora, stamani, e vorrebbe..."

"Vuoi passarmi quei pantaloni, Martine?"

Erano i pantaloni che indossava il giorno dello sputnik. E per un attimo restò tremante a fissarli: era dunque stato un amore così piccolo, il suo, se già poteva comportarsi con tanta freddezza? O era stato piuttosto l'allucinazione di un amore inventato? Ma a questa domanda, irritata, scaraventò i pantaloni nella valigia. Allucinazione! Realtà! Che differenza passa tra allucinazione e realtà se nella allucinazione vedi e soffri le medesime cose che vedi e soffri nella realtà? Tutti gli ipocriti che hanno amato qualcuno ed ora non lo amano più si difendono dicendo che non si trattava di vero amore: quasi che rinnegare qualcosa di morto sia più dignitoso che ammettere la propria sconfitta. Aveva amato Richard, ecco tutto. E con lui aveva amato l'America. Aveva amato l'America, ecco tutto. E con lei aveva amato Bill. Poi di colpo aveva cessato di amarli. Di colpo, come quando la febbre ti passa: ma ciò non toglie che la febbre esistesse davvero.

Chiuse la valigia, pensosamente.

Di colpo? Aveva davvero cessato d'amarli di colpo? Peggio: aveva davvero cessato d'amarli, d'amare Richard? A questo non sapeva trovare risposta.

* * *

Lasciò New York in un'alba di ghiaccio, insieme a Martine. Il taxi imboccò velocissimo la Quinta Avenue e, nell'attimo che impiegò ad attraversare la strada di Richard, non fece neppure in tempo a girarsi per gettarvi un'ultima occhiata. Erano press'a poco le sei: l'ora in cui, quella prima mattina, aveva lasciato Richard e l'autista s'era messo a scherzare: "Bella nottata, eh, baby?" Se ne accorse quando il taxi aveva passato l'angolo e per un momento, un breve momento, ebbe la tentazione di inventare una scusa, dire a Martine che aveva dimenticato il passaporto, il biglietto: tornare indietro, come quella mattina, riveder le finestre e l'atrio coi leoni di pietra, come quella mattina. Per un momento, un breve momento, desiderò salir quelle scale, spalancare la porta smaltata di verde, abbracciarlo nel sonno, confessargli che aveva sbagliato, che non voleva partire: perché non voleva rimpiangere tutta la vita la propria saggezza, non voleva giudicar come gli altri ciò che è giusto od ingiusto, morale o immorale, non voleva vivere sola. E come un distratto che ha lasciato cadere nel mare l'unico soldo che possedeva si voltò, disperata, a guardare il muro che fuggiva, il marciapiede che fuggiva, le strade che fuggivano. Tese, disperata, le dita a riacchiappare una bambola brutta che aveva gettato, una fotografia che aveva strappato, e silenziosamente gridò: "Richard! Bill! Quanto son stupida, Richard! Quanto son stupida, Bill!" Poi portò una sigaretta alle labbra, con dita ferme l'accese.

"Non trovi che questo taxi vada piano, Martine? Arriveremo tardi ad Idlewild."

Ci giunsero con mezz'ora di anticipo. Ma solo qualche attimo prima di salutarla Martine le porse una busta su cui era scritto, per intero: "Giovanna".

"Me l'ha data Bill. Ha detto che puoi anche non prenderla."

"Bene."

"Ha detto che avrebbe voluto accompagnarti all'aeroporto ma temeva ti desse fastidio."

"Bene."

"Ha detto altre cose ma non le ricordo."

"Meglio."

Giovanna prese la lettera, baciò Martine che singhiozzava, raggiunse con passo sicuro la pista e, quando l'aereo decollò, non un muscolo del suo volto indurito si mosse, neppure per sbaglio i suoi occhi asciutti si girarono a guardare un'ultima volta la Terra Promessa che rimpicciolava sempre di più ed ora era quasi un chicco di rena pronto ad accogliere l'altro chicco di rena. Tantomeno si affrettò a leggere ciò che Bill aveva scritto. Aspettò che l'aereo fosse in linea di rotta, fece colazione, fumò e, quando non ebbe altro da fare, stracciò la busta, lesse la lettera che diceva così:

"Io aborro le lettere, Giò. Le considero uno strumento di comunicazione per sordomuti. Né una lettera potrà mai bastare a diminuire la tua amarezza, a correggere l'idea che ti sei fatta dell'America conoscendo due tipi come me e come Dick, a spiegarti che l'America che non hai conosciuto è migliore: più banale e migliore, più noiosa e migliore, più ottusa e migliore; un'America che crede nella lealtà, nella moralità, nella libertà: a un punto tale da lasciare indisturbati i tipi come me, come Dick e come te; un'America che può sopravvivere alla grande catastrofe nell'imminenza della quale noi, creature immeritevoli di sopravvivere, ci siamo incontrati e ci siamo fatti la guerra. Te lo scrivo dopo avere saputo che hai chiuso la porta su Richard, su noi. È notte, il rimorso mi sveglia, e inutilmente ripeto a me stesso che non può bastare nemmeno, una lettera, a spiegarti che non bisogna pensare alle porte che abbiamo chiuso dietro di noi o che ci hanno sbattuto sopra la faccia perché tutte le volte che una porta si chiude noi ci troviamo dinanzi al dilemma definitivo, o me o te, o la vita o la morte, e nella scelta dell'una o dell'altra si esaurisce la nostra interiore libertà. Tu scegli ad esempio di vivere e ti incammini per la strada che credi più facile poiché ha senso unico ed è priva di curve ma sai benissimo che per un guasto al motore o un improvviso malessere puoi rovesciarti in un fosso che aveva innocua apparenza. Ciò che tu vuoi o vorresti che fosse non dipende da te: questa è la sola certezza che mi conforta quando lo sguardo mi cade sopra uno specchio e lo specchio mi restituisce un fantasma coi baffi, dalle rughe deluse, l'orgoglio deluso, il vizio deluso. E non dar retta a chi dice che il destino ce lo fabbrichiamo da noi o che la Provvidenza ci protegge: non ti protegge nessuno dal momento in cui nasci e piangi perché hai visto il sole. Sei sola, sola, e quando sei ferita è inutile che tu aspetti soccorso poiché non v'è genitore o amante o fratello che possa perdere tempo per te: essi si chinano più o meno a lungo sopra di te, magari ti fasciano e ti danno da bere, ma poi riprendono irrimediabilmente la strada dove saranno a loro volta feriti. Questa lettera, dunque, può servire soltanto a una cosa: a darti un banale consiglio. E allora ascoltami, Giò. La vera guerra non è quella che combatti quando due potenti imbecilli hanno deciso di buttare una bomba. La vera guerra è quella che combatti nell'amore e nell'odio non comandati, soprattutto quando ritorni. Tu ritorni, Giò, col cervello ed il cuore sbranati da una ferita gravissima: ma gli altri lo ignorano perché nelle apparenze tu sei come prima. Lasciali in questa illusione. Non raccontare che sei cambiata, non raccontare la guerra che ti ha fatto cambiare. La tribù dove vivi non sa cosa farsene dei martiri e degli eroi. Essi vanno contro le regole, essi turbano la coscienza dei semplici, essi sono i pazzi in un mondo di savi. Devi tacere o mentire se non vuoi spaventarli. E ricordati che queste parole le scrisse con rimpianto, con amore, l'unico uomo col quale avresti potuto non tacere e non mentire: Bill".

L'unico? Giovanna alzò le spalle e si lasciò andare a una smorfia. A cosa voleva alludere Bill con quelle ultime frasi? Voleva forse invitarla a tacere o a mentire con Francesco? Francesco l'avrebbe capita meglio di lui. A cosa voleva alludere con la storiella del fosso che aveva innocua apparenza: a Francesco? Francesco non le avrebbe mai fatto del male. L'avrebbe fasciata, le avrebbe dato da bere, avrebbe ripreso il cammino con lei. Ripose la lettera in borsa e cadde in un sonno disfatto: per svegliarsi, sei ore dopo, sotto una mano che la scuoteva.

"Vuole agganciare la cintura di sicurezza, signorina?"

"Come?! Oh! Sì! Perché?"

"Stiamo per atterrare, signorina."

"Come?! Dove?!"

"A Roma, signorina. Si è fatta un bel sonno, eh? Non ha neppure mangiato."

"Roma!"

È strano chiudere gli occhi su una città e riaprirli su un'altra. Ti dà il senso dell'impossibile, del tempo che non esiste, dello spazio che non conta. Ora l'aereo si abbassava su Roma e com'era minuscola, Roma, in confronto a New York! Com'era spiaccicata, gialla, tapina! Ora l'aereo sfiorava la pista, si posava sopra la pista, si fermava con un rombo cattivo e Dio!, come avrebbe fatto a dirlo a Francesco? Ravviò svelta i capelli, tinse disordinatamente le labbra, spruzzò un po' di profumo per togliere di dosso lo sgradevole odore di sonno, scese la scaletta con gambe malcerte, porse il passaporto con mani malcerte, cercò Francesco con occhi malcerti e Francesco era là, dietro le sbarre della dogana: il solito corpo massiccio, la solita faccia tranquilla, le solite mani che sapevano guidarla così bene attraverso la calca.

"Bentornata, Giovanna."

"Grazie, Francesco."

"Sei in anticipo di due giorni."

"Ho finito il lavoro un po' prima."

"È venuto bene?"

"Oh, non so. Devo ancora scriverlo, sai."

"T'è piaciuta l'America, eh?"

"Sì, molto."

"E cosa si dice in America?"

"Si aspetta la guerra."

"Ma va'!"

"Sul serio. E qui che si dice?"

"Nulla. Su che?"

"Non so. Sullo sputnik, ad esempio."

"Chi se ne frega dello sputnik."

"Che Dio ti benedica, se esiste."

"Sai, Giovanna. Non sei affatto cambiata. Nemmeno un po'."

Poi, in un silenzio un po' imbarazzato, colmo di occhiate nascoste, ripercorsero all'indietro la strada di due mesi prima e non si sentiva freddo, a Roma: ma un dolce sapore di terra. Non si vedevano scoiattoli, qui, né tappeti di foglie, né alberi gialli rossi viola, né apocalissi di acqua: ma vigne basse e cani randagi e rovine antiche e un'aria di povertà. Però queste erano le sue vigne e i suoi cani e le sue rovine, e questa povertà le era così familiare.

"A cosa pensi, Giovanna?"

"A tante cose, tutte difficili a dirsi."

"Vuoi dire che sei contenta d'essere a casa?"

"Lo sono, Francesco. Lo sono."

"Sai, credevo proprio che tu non tornassi."

"Lo credevo anch'io. Ne parleremo, eh?"

"Ma no, lasciamo stare, Giovanna. Raccontami piuttosto di New York. Davvero parlano tutti di guerra?"

"Oh, fammi guardare Roma."

Non si avvertiva il Natale, a Roma. Non si vedevano vetrine coi fiocchi, né palline d'argento, né papà Natale con la pancia gonfia di trucioli: ma cupole tonde come carezze e verde e dolcezza di cui aveva fame, ora, con la stessa violenza con la quale aveva fame, prima, di grattacieli e di grigio e di forza.

"La domestica viene domani," disse Francesco portando le valige in casa. "Intanto mi sono fatto dare le chiavi, ho dato un po' d'aria alle stanze ed ho scaldato l'acqua del bagno. Il letto è a posto."

"Sei un tesoro, Francesco! E poi dicono che gli italiani non sono animali domestici."

Fece scorrere subito l'acqua nel bagno e lo spinse fuori dal bagno, ridendo. Lui si appoggiò al di là della porta.

"Allora, Giovanna: ci vivresti in America?"

"Nooo!"

"Meglio qui?"

"Siìì!"

"Avevo ragione?"

"Abbastanza."

"Però non sei davvero cambiata, sai! Il tuo cuore e il tuo cervello sono invulnerabili, tutto sommato."

"Come dicevi?"

"Ti stavo chiedendo se mi hai portato qualche bel disco. La Fitzgerald, ad esempio."

"Fitzgerald...? No... Sono partita così in fretta, sai." E nello stesso momento rabbrividì nell'acqua calda: la Fitzgerald! Da che parte avrebbe incominciato il discorso? Dal disco della Fitzgerald? Dal primo litigio con Bill? Da Richard, da Bill, da Martine? Si asciugò in fretta, infilò un accappatoio lilla comprato durante il suo vuoto vagare nei magazzini. Si piantò dinanzi a Francesco, decisa.

"Francesco, ti devo parlare."

"Come sei bellina con quell'accappatoio lilla."

"Ti devo parlare, Francesco."

"Meglio di no, Giovanna. E poi, cosa vuoi dirmi? Che t'eri innamorata dell'americano? Me l'hai scritto, lo so. Che mi avevi dimenticato? Era evidente, lo so. Sono stato male abbastanza, per questa faccenda: non ci voglio pensare di nuovo. E poi, lo sai quante volte in questi due anni ho creduto di dimenticarti per una tedesca o una svedese? Invece, eccomi qua. Eccoti qua. Non ha importanza quel che è stato, Giovanna."

"Ne ha, invece."

"Non mi riguarda, Giovanna. Non c'era nessun obbligo o patto tra noi. Lo hai scritto anche tu."

"Ti riguarda, invece."

Lo trascinò nello studio, gli sedette di fronte, e le sembrava d'essere Richard quella sera al

298

Monocle: quando tentava di dirle ogni cosa e non ci riusciva.

"Vedi, Francesco. Tu devi innanzitutto capire. E per capire me devi prima capire quel paese: così grande, così uguale, così crudele..."

Squillò il telefono.

"Pronto, Giò? Bentornata carissima. Vedo che mi ha fatto risparmiare due giorni di diaria. Delicata, perbacco! Tutto bene, Giò?"

"Benissimo, commendatore."

"Mi ha trovato un buon soggetto?"

"Lo spero, commendatore."

"Gomez le ha dato fastidi?"

"Nessuno, commendatore."

"A domani, carissima. Sono molto ansioso di rivederla."

"A domani, commendatore."

Sedette di nuovo dinanzi a Francesco; si passò le mani sul volto, nervosa, come faceva quella sera Richard.

"Come dicevo? Ah, sì. Dunque, appena arrivata a New York cercai Martine. Tu conosci, Martine: quando decide una cosa, nessuno può scontentarla. Martine, in quel periodo..."

Squillò ancora il telefono.

"Pronto, Giò? Bentornata, tesoro."

"Grazie."

"Ah, beata te che sei stata in America!"

"Scusa, ho daffare."

Buttò giù il ricevitore, irritata. Tornò da Francesco.

«Come dicevo? Ah, sì. Vedi, Francesco: la tua lettera era molto bella, molto nobile e molto bella. Io la rilessi più volte e avrei voluto spiegarti già allora... Insomma, Francesco, tu non sei come quegli uomini americani sicché voglio essere chiara fin dall'inizio, con te...»

«Senti, Giovanna. Io ho fame. Perché. non andiamo a cena e parliamo lì, se proprio vuoi?»

«O. K. Andiamo a cena. Mi vesto.»

La cena era buona. Lei mangiò d'appetito e parlò, parlò: ma non disse nulla di ciò che voleva. Parlò di Martine, delle scarpine del cane di Martine, del lavoro di Martine. Parlò dei grattacieli, del buio, dello sputnik, degli shelters: perfino di Igor. Ma non disse nulla di ciò che voleva. Quanto a Francesco, le chiese di Igor, dello sputnik, degli shelters: ma non chiese nulla di ciò che voleva. Insomma parlarono di tutto fuorché di Richard, di Richard e di Bill, di Richard e di Bill e di lei. E a un certo punto, per lei, fu come averli dimenticati: e allora le prese una gioia tanto feroce, un sollievo tanto ribelle che si aggrappò a Francesco e aggrappata a Francesco uscì dal ristorante, propose di salire in casa a bere un whisky. Francesco salì. Insieme bevvero il whisky, seduti sopra il divano: e il volto di Francesco era vicino come quella notte il volto di Richard. Dalle sue labbra veniva un piacevole odor di tabacco, come quel pomeriggio da Bill. Giovanna lo abbracciò. Francesco si tolse gli occhiali.

* * *

Senza gli occhiali, anche il suo volto appariva spogliato. Giaceva senza più forza, nel letto, e tutta la sua pelle, il suo stesso respiro apparivano così vulnerabili che il volto di Richard, poi quello di Bill le tornarono alla memoria: e nello stesso momento capì che non poteva imbrogliarlo. Richard e Bill non erano affatto dimenticati, non potevano essere dimenticati, non li avrebbe mai dimenticati. Per questo doveva parlare, si disse, e inutilmente lo sguardo le cadde sopra la borsa che custodiva la lettera coi consigli di Bill, inutilmente Francesco la supplicò di non dire nulla, sapeva già troppo, non voleva sapere di più. Lei accese una sigaretta, si accomodò meglio sopra il guanciale, e il racconto le fluì dalle labbra: completo, leale. Gli spiegò com'era successo e perché era successo. Gli confessò con minuzia l'odio amoroso che lei aveva avuto per Bill e Bill per lei, quel triplice amore a catena nel quale s'erano avvolti tutti e tre creando un nodo che si poteva sciogliere soltanto con la sua fuga: Richard che voleva lei e Bill, Bill che voleva lei e Richard, lei che alla fine voleva Richard e Bill. Ma ora, conclude, tutto questo era finito: perché lei voleva soltanto un uomo di nome Francesco.

Quando conclude, Francesco stava in fondo alla stanza, vestito. Le sue braccia ciondolavano prive di forza e il suo volto non sembrava nemmen più abbronzato: era tutto bianco, molle, e nelle pupille tremava lo stesso smarrimento che Giovanna aveva visto più volte in quelle di Richard.

"È una storia poco allegra, lo so," disse Giovanna guardandolo con un vago sospetto.

"Poco allegra?!"

Lentamente Francesco mise gli occhiali, restituì quello sguardo. Poi cominciò a raccogliere le sue cose.

"Poco allegra? È una sordida storia, Giovanna. Ed io non la capisco. Ma perché hai voluto parlare? Perché vuoi essere sempre diversa dagli altri, ignorare le leggi degli altri, i limiti degli altri? Se tu mi avessi detto: non lo amavo nemmeno, quel Richard. Mi piaceva, ecco tutto, e così sono andata a letto con lui. Sarebbe stato già duro: però lo avrei sopportato. Ma questo, Giovanna! Questo!"

"Avresti preferito saperti imbrogliato?"

"Sì, lo avrei preferito. La vita è già dura senza chiarezza: figuriamoci poi con la chiarezza. Ah, la tua maledetta ossessione di voler chiarire a ogni costo ogni cosa!"

"Volevo che tra noi due tutto fosse perfetto, Francesco."

"La perfezione non esiste, Giovanna. Quando esiste, è irritante."

"Ma io voglio te, Francesco!"

"Peccato. Prima io volevo te e tu non volevi me. Ora tu vuoi me ed io non voglio te. Non ci si incontra mai al momento giusto, vero, Giovanna? O troppo presto o troppo tardi."

"A quanto pare."

"Avevo tanto sperato che tu tornassi. Quando il tuo telegramma arrivò, fu come ricevere un fiore. Ora vorrei che tu non fossi tornata."

Diventava sempre più molle, e più bianco.

"Sono tornata per ritrovare un uomo e una casa. E ti ho parlato come si parla ad un uomo."

"Mi hai parlato come un uomo parla ad un uomo, non come una donna parla ad un uomo. Quanto al ritrovare una casa, temo che stavolta tu abbia sbagliato davvero indirizzo. La tua casa è laggiù."

"La mia casa è qui."

"Lo era."

"Lo è."

"Lo era. Ma perché sei tornata, Giovanna?"

"Anche per ritrovare te."

"Mi dispiace."

Un lungo silenzio. Poi la fodera del cappotto frusciò contro la sua giacca.

"Allora me ne vado, Giovanna. È tardi."

"Vedo."

Si alzò, infilò la vestaglia, lo accompagnò fino alla porta cercando una scusa per trattenerlo. Ma non la trovò.

"Cerca di dormire, Giovanna."

"S'intende."

"Ti lascio il giornale."

"Grazie, molto gentile." E sorrise con amarezza. "Vedi, c'è perfino un articolo che mi riguarda: 'Le difficoltà emotive della donna moderna'. Potrei tenerci una conferenza al Soroptimist Club."

Lui ci gettò appena lo sguardo ed esitò.

"Hai bisogno di nulla? Di qualsiasi cosa tu abbia bisogno..."

"Io non ho bisogno di nulla e di nessuno."

"Allora ciao," concluse sbattendo la porta.

Lei rispose ciao e sapeva che stavano dicendosi addio. Si sarebbero rivisti, naturalmente: forse domani, forse dopodomani, per mesi, per anni. Ma anche la porta tra loro era chiusa. Avevi ragione, Bill. La tribù dove vivi non sa cosa farsene dei martiri e degli eroi. Devi tacere o mentire se non vuoi spaventarli. Aprì la borsa per cercare i fiammiferi e solo a questo punto rivide la lettera dell'unico uomo col quale avrebbe potuto salvarsi. La rilesse stringendo le labbra: "... né una lettera potrà mai bastare a diminuire la tua amarezza, a correggere l'idea che ti sei fatta dell'America conoscendo due tipi come me e come Dick, a spiegarti che l'America che non hai conosciuto è migliore... un'America che può sopravvivere alla grande catastrofe nell'imminenza della quale noi, creature immeritevoli di sopravvivere..."

Macché immeritevole, perdio! Lei era ben viva e non aveva nessuna intenzione di crepare per un chicco di rena o per un dolore. Stracciò con gesti secchi la lettera, rientrò a letto, si distese sotto i lenzuoli. Sarebbe piaciuto al commendatore il soggetto su Martine? Forse sarebbe stato prudente abbozzarne un secondo: ad esempio la storia di una ragazza italiana che va in America e ritrova l'uomo di cui era innamorata bambina. Perbacco: ma questa era la sua storia! Una storia coi fiocchi, una storia da vendere: come mai non ci aveva pensato? Poteva farne un libro, oltre che un film. Vediamo: per un libro ci vuol troppo tempo e poi è più difficile. Per il film invece se la cavava in un mese e senza sudare. Non era già tutto pronto? Il particolare del Gordon's Gin che si accende e si spenge, ad esempio, è molto sfruttabile cinematograficamente. Il personaggio di questa donna che non sa piangere è mica male per un'attrice che conosca il mestiere. Il personaggio di Richard va benissimo per uno di quei giovanotti che frequentano l'Actor's Studio. Quello di Bill sembra inventato per un Lancaster. Gomez ne sarà felicissimo. Certo dovrò modificare l'intreccio: altrimenti la censura interviene: forse al posto di Bill è meglio ficcarci una donna oppure farne una specie di padre. E il finale? Ecco, quello magari lo cambio: al pubblico le storie tristi non piacciono e poi mi par di sentirlo il commendatore: "Cusa l'è chela storia? L'è mica possibile, certe cose non accadono mica. E poi, topolino, non capisce che a questo modo non si salva nessuno? Li faccia sposare!" E va bene: io li faccio sposare. Ora vediamo: se mi alzo alle sette, preparo un abbozzo di dieci cartelle per mezzogiorno, poi lo porto al commendatore e magari dopo questo soggetto me ne torno pure in America, vo ad Hollywood, mi piglio un bel bungalow sul mare e guadagno un bel mucchio di soldi. "Qui conta solo il denaro, mia cara. Il denaro è il nostro dio, la nostra fede, la nostra speranza." Giusto, giustissimo. E quanti soldi ci guadagnerò? Dieci, quindici, venti milioni? Anche di più, se son furba. Però dovrò vendere fino in fondo me stessa, e coloro che ho amato come me stessa, tradire, mentire, confessare senza vergogna, ricostruire come se fosse capitato ad un'altra questo inevitabile autunno... E chi se ne frega? Lo faccio: "L'importante, baby, non è esistere ma far sapere agli altri che si esiste." E poi me la vedo io con quegli idioti che mi criticano perché sono una donna. Io sono più brava di un uomo e le Penelopi non usano più. Io faccio la guerra e seguo una legge da uomini: o me o te. O me o te. O me...

Spense la luce e il solito singhiozzo le salì dal fondo del ventre fermandosi, come sempre, alla gola. Avanti, purissima donna latina, perché non piangi? Siete così brave a piangere, voi: più brave di Dick. O forse non ti riesce? Le tue ciglia sono asciutte come le foglie di un albero su cui non è mai piovuto. Scommetto che non sai nemmeno quale sapore abbia una lacrima. Dimmi: è dolce o salata? Inghiottì, decisa a non piangere. Non lo sapeva, non voleva saperlo. Non aveva tempo da perdere in pietà per se stessa o considerazioni ormai inutili. Non era lei che aveva scelto il vestito da uomo... Non era lei: però lo indossava e non avrebbe potuto cambiarlo perché non si può andare contro ciò che decide il Giocatore Invisibile senza chiederti se sei o non sei d'accordo con lui. Via, Giò, quante storie! Neanche il feto può dire la sua quando è nel grembo materno. Magari gli piaceranno le gambe lunghe e gli vengono corte, gli occhi azzurri e gli vengono neri. E il peggio è che non te lo chiedono nemmeno, questo permesso, per metterti al mondo. Ti ci mettono e basta: se addirittura non pretendono che tu ne sia grato perché "la vita è un dono di Dio". Oh, Dio! Dio! Dio! Perché non esisti?

Ecco: arrivava la lacrima. Ed aveva un sapore di sale.

Oriana Fallaci

INSCIALLAH

Da una lettera del Professore:

«L'ho incominciato, cara, ci lavoro! Ogni notte mi chiudo in ufficio e lavoro, lavoro, lavoro: navigo nelle difficili acque del romanzo agognato. Non so in quale porto mi condurrà. Neanche a chi lo scrive un romanzo confessa subito i suoi molti segreti, rivela subito la sua autentica identità. Come un feto privo di lineamenti precisi, all'inizio chiude in sé una miniera di ipotesi: tiene in serbo una miriade di sorprese buone o cattive. E tutto è possibile. Anche il peggio. Però il corpo è già delineato, il cuore batte, i polmoni respirano, le unghie e i capelli crescono, nel volto incerto distingui con chiarezza gli occhi e il naso e la bocca: posso presentartelo. Posso addirittura anticiparti che la storia si svolge nell'arco di tre mesi, novanta giorni che vanno da una domenica di fine ottobre a una domenica di fine gennaio, che s'apre coi cani di Beirut, allegoria ai bordi della cronaca, che prende l'avvio dalla duplice strage, che segue il filo conduttore d'una equazione matematica cioè dell'$S = K \ln W$ di Boltzmann, e che per svilupparne la trama mi servo dell'amletico scudiero di Ulisse. Quello che cerca la formula della Vita. (L'ho battezzato Angelo, scelta che m'è parsa conforme al suo asettico raziocinio, e del resto a nessuno ho imposto i nomi del divino poema. Nella speranza di evitare che il solito imbecille in agguato mi tacci di presunzione e dileggi la mia fatica, ai capi Achei ho imposto indebiti nomi di uccelli guerreschi oppure nomignoli da caricatura. Agli altri, quel che capitava o mi pareva adatto al personaggio.) I personaggi sono immaginari. Lo sono perfino nei casi in cui si ispirano a supposti modelli. Non di rado infatti sfuggo all'esilio delle scartoffie e non osservato osservo. Ascolto, spio, rubo alla realtà. Poi la correggo, la realtà, la reinvento, la ricreo, e con l'amletico scudiero ecco il dispotico generale che crede di poter sconfigger la Morte, ecco il suo disincantato ed estroso consigliere, ecco il suo erudito e bizzarro capo di Stato Maggiore, ecco i suoi ufficiali ora bellicosi e ora mansueti, ecco la moltitudine sfaccettata della sua truppa...»

Oriana Fallaci

INTERVISTA CON LA STORIA

Se il naso di Cleopatra fosse stato più corto, l'intera faccia della terra sarebbe cambiata: dice Pascal. E, a parte il paradosso, è lecito pensare che la nostra esistenza sia decisa da pochi: dai buoni o dai cattivi sogni di pochi, dall'iniziativa o dall'arbitrio di pochi che col potere o la lotta al potere cambiano il corso delle cose e il destino dei più. Ma allora come sono quei pochi? Più intelligenti di noi, più forti di noi, più illuminati di noi? Oppure identici a noi, né meglio né peggio di noi, creature qualsiasi che non meritano nemmeno la nostra collera, la nostra ammirazione, la nostra invidia? Ecco la domanda che si pone, all'inizio di questo libro, Oriana Fallaci. E la risposta ce la fornisce attraverso ventisette interviste ormai famose per il loro stile inconfondibile, la loro tecnica irripetibile, l'eco che hanno sollevato e sollevano nei vari paesi. Da Henry Kissinger a Willy Brandt, da Golda Meir a Indira Gandhi, dall'imperatore d'Etiopia allo scià di Persia, dal generale Giap al palestinese Arafat, da William Colby ad Alvaro Cunhal, da Andreotti a Carrillo, Oriana Fallaci li viviseziona tutti. Anzi, li induce tutti a vivisezionarsi. E senza cautele, senza timidezze, allo stesso tempo senza rinunciare mai alla sua umanità, gli denuda l'anima fino a mostrarceli per quello che sono e non per quello che dicono di essere. È un libro che fa paura. Non solo perché è così coraggioso, così dissacrante, ma perché ci costringe a meditare con rabbia. Un po' frettolosamente, la Fallaci lo definisce un documento a cavallo tra il giornalismo e la storia. Ma esso è molto di più. È una condanna spietata del potere, un invito disperato alla disubbidienza, un inno appassionato alla libertà.

Oriana Fallaci

SE IL SOLE MUORE

A mio padre
che non vuole andar sulla Luna
perché sulla Luna
non ci sono fiori né pesci né uccelli.
A Teodoro Freeman
che morì ucciso da un'oca
mentre volava per andar sulla Luna.
Ai miei amici astronauti
che vogliono andar sulla Luna
perché il Sole potrebbe morire.

ORIANA FALLACI

Questo libro di Oriana Fallaci, coraggiosamente, spietata-
mente autobiografico, è il diario di una donna moderna lan-
ciata alla scoperta del nostro futuro, la straordinaria avventu-
ra del viaggio alla Luna e agli altri pianeti, il trionfo di una società tecnologica che con le cosmonavi e i calcolatori elettro-
nici cambia perfino la morale e i sentimenti.

Oriana Fallaci
UN UOMO

Da un'intervista a Oriana Fallaci:

«Un libro sulla solitudine dell'individuo che rifiuta d'essere
catalogato, schematizzato, incasellato dalle mode, dalle
ideologie, dalle società, dal Potere. Un libro sulla tragedia
del poeta che non vuol essere e non è uomo-massa, strumento di coloro che comandano, di coloro che promettono,
di coloro che spaventano; siano essi a destra o a sinistra o al
centro o all'estrema destra o all'estrema sinistra o all'estremo centro. Un libro sull'eroe che si batte da solo per la libertà e per la verità, senza arrendersi mai, e per questo
muore ucciso da tutti: dai padroni e dai servi, dai violenti e
dagli indifferenti.»

Oriana Fallaci

LETTERA A UN BAMBINO MAI NATO

«Lettera a un bambino mai nato» è il tragico monologo di una donna che aspetta un figlio guardando alla maternità non come a un dovere ma come a una scelta personale e responsabile. Una donna di cui non si conosce né il nome né il volto né l'età né l'indirizzo: l'unico riferimento che ci viene dato per immaginarla è che vive nel nostro tempo, sola, indipendente, e lavora.

Il monologo comincia nell'attimo in cui essa avverte d'essere incinta e si pone l'interrogativo angoscioso: basta volere un figlio per costringere alla vita quel figlio? Piacerà nascere a lui? Nel tentativo paradossale di avere una risposta la donna spiega al bambino quali sono le realtà da subìre entrando in un mondo dove la sopravvivenza è violenza, la libertà è un sogno, la giustizia un imbroglio, il domani uno ieri, l'amore una parola dal significato non chiaro. Però mentre il discorso procede, razionale e insieme appassionato, un secondo problema emerge: il rapporto tra se stessa e il figlio. Una seconda domanda eplode: è giusto sacrificare una vita già fatta a una vita che ancora non è? E il monologo diventa quasi una confessione alla propria coscienza, mentre il dramma matura nutrito dagli altri personaggi. Sette personaggi anch'essi senza nome né volto né età né indirizzo: il padre del bambino, l'amica femminista, il datore di lavoro, il medico ottuso, la dottoressa moderna, i vecchi genitori. Tutti testimoni ignari di quel rapporto impossibile, basato su un'altalena di amore e di odio, di tenerezze e di risse, infine esasperato dalla rivolta di una creatura intelligente che accetta la maternità ma da quella si sente derubata. È in tale rivolta che la donna lancia la sfida definitiva a suo figlio: a lei il diritto di esistere senza lasciarsi condizionare da lui, a lui il diritto di decidere se vuole esistere o no. Il bambino decide, e non solo per se stesso. Il suo rifiuto della vita, ora che sa quanto sia faticosa e difficile, coinvolge infatti la madre. E nel modo più crudele, cioè attraverso un processo che ne deciderà la colpevolezza. Il nodo del libro è il Processo, celebrato da una simbolica giuria di cui fanno parte i sette personaggi. Poi, in un accavallarsi di suspense, l'allucinante colpo di scena e il verdetto con cui si conferma che è sempre la donna a pagare.

Oriana Fallaci

NIENTE E COSÌ SIA

È la vigilia dello sbarco sulla Luna e sulla Terra si continua
ad ammazzarci come mille, diecimila anni fa. Una donna,
una giornalista, parte per la guerra dove si trova subito dinanzi al dramma di una fucilazione e poi dentro una sanguinosa battaglia: quella di Dak To, villaggio ai confini della
Cambogia con il Vietnam. Qui incomincia il suo diario che è
il diario di un anno della sua vita e vuole rispondere alla domanda di una bambina: «La vita cos'è?». Giorno per giorno,
tra la morte sempre in agguato, la donna va alla ricerca di
una risposta quasi impossibile e annota tutto ciò che vede o
che ascolta: insieme alla sua paura, la sua pietà, la sua rabbia. Ne nasce un racconto che quasi inavvertitamente assu-
me i contorni di un romanzo, con personaggi non inventati. Il
personaggio di François Pelou, l'amico francese che la guida
come una buona coscienza, il personaggio di Nguyen Ngoc
Loan, lo spietato generale che le piangerà tra le braccia, il
personaggio di Pip, il sergente che perde la memoria in combattimento e lei gliela rintraccia per buttarla via, infine i soldati, i vietcong, i giornalisti intorno ai quali si snoda lo spettacolo assurdo della guerra, l'offensiva del Tet, l'assedio di
Saigon, il dolore che esplode nell'atroce preghiera «Dacci
oggi il nostro massacro quotidiano, liberaci dall'insegnamen-
to che ci dette tuo Figlio, tanto non è servito a niente, non
serve a niente e così sia...»

BUR
Periodico settimanale: 18 febbraio 2001
Direttore responsabile: Evaldo Violo
Registr. Trib. di Milano n. 68 del 1°-3-74
Spedizione in abbonamento postale TR edit.
Aut. N. 51804 del 30-7-46 della Direzione PP.TT. di Milano
Finito di stampare nel febbraio 2001 presso
il Nuovo Istituto Italiano d'Arti Grafiche - Bergamo
Printed in Italy

ISBN 88-17-15013-4